О любви

ВИКТОРИЯ ТОКАРЕВА

О любви
и о нас с вами

ИЗДАТЕЛЬСТВО
МОСКВА
2010

УДК 821.161.1
ББК 84 (2Рос=Рус)6
Т51

Оформление Г.В. Поповой

Компьютерный дизайн Ю.М. Мардановой

Подписано в печать 04.08.09. Формат 84x108 $^1/_{32}$.
Усл. печ. л. 16,8. Тираж 7000 экз. Заказ № 6329

Токарева, В.

Т51   О любви и о нас с вами : [сб.] / Виктория Токарева. — М.:
АСТ: АСТ МОСКВА, 2010. — 317, [3] с.

ISBN 978-5-17-058122-1 (ООО «Изд-во АСТ»)
ISBN 978-5-403-02178-4 (ООО Изд-во «АСТ МОСКВА»)

«Любовь — это жизнь, а жизнь — это любовь».

Старинная французская поговорка, правоту которой не отрицал еще никто. Но... не слишком ли часто наша жизнь превращается в выживание?

Мы живем одним днем. Мы гонимся за преуспеванием, деньгами и успехом. А как же любовь? Остается ли она, истерзанная ревностью и непониманием, замученная бытом, по-прежнему смыслом и сутью нашего существования?

Любовь многолика и способна выжить в самых трудных обстоятельствах.

Но узнать ее в каждом новом обличье — очень непросто.

Об этом и многом другом — повести и рассказы Виктории Токаревой, вошедшие в этот сборник.

УДК 821.161.1
ББК 84 (2Рос=Рус)6

Рассказы

Ничего не меняется

Кровельщик Семен упал с крыши. Сломал руку.

Семен — мастер. Таких больше нет во всей округе. Золотые руки. И вот одну руку — главную, правую — он сломал.

А кому отвечать? Маке отвечать. Это ее строительная фирма. Ее бригада.

Мака сделала все, что надо. Отвезла на своей машине в травмпункт. Проследила. Проплатила.

Перелом, слава Богу, оказался без смещения. Положили гипс и отпустили. Но Мака переволновалась. Семен мог и головой треснуться и просто убиться насмерть. Садись тогда в тюрьму в ее-то возрасте. С ее-то здоровьем...

Мака не могла заснуть, ворочалась до четырех утра.

Зажгла свет, стала читать. Не читалось. Лежала и смотрела в потолок...

* * *

Ее звали Мария Ильинична, как сестру Ленина. В детстве она называла себя: Мака. Так и осталась Макой на всю жизнь.

А он — Мика. Михаил.

Так и жили: Мака и Мика. Все вокруг расходились по второму и третьему разу, а они все жили и жили.

Он был красивый, как князь Андрей Болконский из американского фильма. Не из нашего. Князь Андрей в исполнении Тихонова, безусловно, красив, но его красота слегка напыщенная и простоватая. А в красоте американского Андрея прочитывалось высокое спокойствие. Хотелось вздохнуть из глубины души — прерывисто, как после слез.

Мика — москвич. Приехал в Ленинград по работе. Его надо было поводить по музеям.

Мака сводила его в Эрмитаж, на другой день — в театр, а на третий день они поцеловались.

Такое потрясение от поцелуя бывает только в молодости. Мир перевернулся. Она вышла за него замуж.

После загса Мака собралась в баню. А Мика пошел ее провожать. И это все, что запомнилось.

После свадьбы переехали в Москву.

Москва, шестидесятые годы. Оттепель. Жилищная проблема.

У родителей Мики — одна комната, перегороженная тонкой стенкой из сухой штукатурки. Бедные родители уходили в кухню и околачивались там неопределенное время, потом на цыпочках заходили и крались на свою половину. При потушенном свете.

И — поразительное дело: все были счастливы. Мака и Мика засыпали, взявшись за руки, как будто боялись, что их растащат.

Родители были довольны выбором сына. Мака им нравилась. Она была красивенькая, веселая и деятельная в отличие от Мики.

Мика — караул. Совершенно бездеятельный, созерцательный. День прошел, и слава Богу. Он окончил технический вуз, его распределили в научно-исследовательский институт, и — на века. Сто двадцать рублей в месяц. Это мало, но все вокруг так получают. Едва сводятся концы с концами, нищета гарантирована. Все так живут. Кроме, может быть, Шолохова в станице Вешенской. Говорят, имеет открытый счет в банке, сколько хочет, столько и тратит. Но ходят слухи, что тратит он в основном на водку. Тоже мало радости. Так что: тише едешь — дальше будешь.

Прошло два года. Мака работала в конструкторском бюро (КБ). Дни следовали один за другим, по очереди, и Мака поняла: тише едешь — дальше будешь от того места, куда направляешься. Жизнь практически стоит на одной точке. Надо как-то взбодриться, заработать деньги, вступить в кооператив, вить свое гнездо, рожать детей.

Однажды поехали на дачу к друзьям. Бродили по участку, рвали с кустов черную смородину.

Мака спросила:

— Ты диссертацию защищать собираешься?

В те годы диссертация — единственный путь наверх. Не сто двадцать, а двести сорок. А дальше — докторская. А докторская — это почти Шолохов. «Все пути для нас открыты, все дороги нам видны», как пелось в пионерской песне.

Мика скривил рожу. Должно быть, попалась кислая ягода.

— Собираешься или нет? Или как? — переспросила Мака.

Мика не ответил. Мака поняла: не собирается.

— Тогда как жить? Так и будем?

Мика снова скривился. Куст попался неудачный. Но Мака заподозрила: дело не в кусте, а в Мике. Мика попался неудачный, хоть и красивый. Зарабатывать не умеет или не хочет. Либо то и другое: не умеет и не хочет.

— А как же ты собираешься жить? — вопрошала Мака.

Ей жарко. Она стащила кофту и стоит в одном лифчике.

— Манна с неба упадет, — отвечает Мика. Слова произносит неохотно. Видимо, этот разговор ему неприятен.

Юная красивая Мака в начале жизни проверяет свои перспективы: «А как мы будем жить?» «Никак», — отвечает Мика. Он и сам не знает.

Манна с небес может и не упасть. Надо самой что-то делать.

Мака включает свое воображение и темперамент. Осваивает ремесло спекулянтки. Сейчас это называется «бизнес». Купила — продала.

Возникают знакомства, связи. Возникает кооператив художников. Всплывает фамилия председателя: Хрущев. Не Никита Сергеевич, конечно. Просто однофамилец.

Хрущев — высокий, лысый, загорелый. И лысина загорелая. Одно «но». В кооперативе нет мест. Все отдали профессиональным художникам. А Мака — непрофессиональный. И неизвестно кто.

Мака стоит перед Хрущевым и горько плачет. Ей себя жаль. И Хрущеву тоже становится ее жаль. Большая девица, а плачет, как маленькая. Размазывает слезы по щекам.

— Ладно. Привозите документы, — разрешает Хрущев.

Мака мгновенно включается:

— Какие? Куда?

Хрущев перечисляет необходимые документы. Потом сообщает свой домашний адрес. Документы надо привезти к нему домой.

— А почему домой? — не понимает Мака.

Разговор происходит в правлении кооператива. Разве не лучше принести документы в правление?

— Не хотите, не везите, — разрешает Хрущев.

— Что значит: «не хотите», очень даже хочу, — пугается Мака.

— Тогда делайте, что вам говорят.

Предложение двусмысленное. Мака решает посоветоваться с Микой.

Потом размышляет: она посоветуется. Простодушный Мика скажет: «Давай я отвезу». И отвезет. Свято место пусто не бывает. Квартиру тут же отдадут другому художнику. Их много — талантливых и бездомных.

Мака не стала ни с кем советоваться. Она сама отвезла документы по указанному адресу, и более того — скрыла этот факт. Отвезла и отвезла. Какая разница — куда.

Убить и прелюбодействовать — это разное. За прелюбодеяние даже не судят. Это твое личное дело. Но в заповедях эти грехи стоят рядом.

Все кончилось тем, что Мака получила квартиру. Квартира оказалась потрясающей. В тихом центре, в кирпичном доме, на седьмом этаже. На седьмом небе.

Купили новую мебель — рай. Молодые художники шастали друг к другу в гости, двери не запирались. Застолья, песни Окуджавы, молодость. Жизнь.

Главное — гнездо. С гнезда только все и начинается. И даже самцы птиц, возвращаясь из теплых краев, первым делом столбят место для гнезда, а уж потом приглашают самок. А как поступил Мика?

Он сначала организовал себе самку, а уж потом самка застолбила место и свила гнездо. А он — в стороне. Он не виноват, что страна оценила его в сто двадцать рублей. Поставила в такие условия. Не пойдет же он воровать...

Канувший в Лету Хрущев — совсем другое дело. Хозяин жизни, как медведь в лесу. Вот бы такого мужа — горя бы не знала. Никаких проблем. Но... непорядочный. Сукин сын. Бабник.

Изменяет своей жене налево и направо. А не верить мужу — все равно что спать на грязном белье. На засранных простынях. Нет, нет и еще раз нет...

Ее красивый и порядочный Мика сидит в купленной ею квартире на купленном ею кресле и читает газету, выписанную за ее счет.

Приходит подруга Людка и рассказывает, что ее муж, жадный до судорог, боится достать бумажник, как будто у него в кармане живет скорпион.

Мика тоже не достает из кармана деньги. Но он не жадный, а бедный. Это гораздо лучше.

Приходит подруга Лариска, дочь большого человека, и рассказывает, что ее муж ничего не зарабатывает. Ленится. Приходится брать деньги у отца, большого человека. А это непорядок.

Приходит соседка Маруся и плачет, что ее муж отдает все деньги в прежнюю семью, из которой он ушел, а сам сидит на Марусиной шее и свесил ноги.

И постепенно складывается картина: мужья сидят на шее, свесив ноги, и при этом умудряются читать газету. А жены, как лошади, волокут воз жизни и в придачу мужей, сидящих на возу.

Мака и Мика... Когда они поженились, поехали в Крым. Медовый месяц. Оказались на пароходе. Куда-то плыли весь день и всю ночь. Утром пароход причалил к пристани.

Мика сбежал с трапа, легко и спортивно, и куда-то умчал, она уже не помнит — куда и зачем. Может быть, разузнать насчет жилья. Снять комнату.

Мака осталась одна с двумя тяжелыми чемоданами.

Постепенно все сошли. Надо было освобождать пароход. Не оставаться же на палубе...

Мака взяла два чемодана в руки, два тяжелых чемодана в две тонких девичьих руки, — и поволоклась. Эта картина явилась графическим изображением всей ее жизни. Вот так всю жизнь, изнемогая от тяжести. А он — налегке, спортивно потряхивая спиной.

Мака навострилась зарабатывать. А Мика — выжидал. Сидел в своем кресле и выжидал.

* * *

Потекла жизнь.

Родилась дочь, бесконечно любимая. Она просыпалась каждую ночь и орала до утра. Потом выяснилось, что ребенок элементарно хотел есть. Но врачи внушали строго: ночью не кормить. Только днем, только по часам. Режим.

Режим они свято соблюдали, но жизнь превратилась в пытку. Ребенка пытали голодом. Себя — бессонными ночами.

Бедный Мика всю ночь тряс на руках страдающее дитя. А утром — на работу.

Через десять лет родилась вторая дочь. Ее кормили каждый час, и днем и ночью. Никакого режима. Но все равно — тюрьма. Маленькие живут за счет взрослых, выжирают из них все соки. Мака не сдавалась. Ее основные интересы были вне семьи. Она купила кусок земли и строила дом.

Девочки ходили в школу. Мака не знала, как они учатся. Мика знал. Он покупал учебники, проверял уроки.

Дни лениво тянулись один за другим, и вдруг неожиданно — дети выросли. Молодость проскочила.

Было непонятно: как из таких долгих одиноких дней складывается такая короткая жизнь...

Мака построила дом. Продала и построила другой, с учетом прежних ошибок. И вдруг — увлеклась. Ей нравилось строить.

Выяснилось, что ее бабка Ульяна тоже строила дома у себя в городе Лисичанске. Гены передались. Мака стала строить дома на заказ, не такие, как Ульяна, хатки-мазанки. Она строила по английским и голландским проектам, большие и не очень большие, кирпичные и штукатуренные, с мягкой современной крышей, которая не ржавеет и не гниет.

Заказов становилось все больше. Мака организовала свою фирму. У нее была своя бригада. Она собирала ее по человеку, как дирижер собирает виртуозов в свой оркестр.

Первая скрипка: прораб Федорыч — скандальный, энергетический, толстучий. С ним никто не хотел связываться. Федорыч разевал хавальник (открывал рот), и стоящий напротив отмахивался обеими руками: делай что хочешь, только замолчи. Федорыч брал на горло, однако дело знал. Таджики рыли ленточный фундамент. Мака не любила подвалов. В них всегда скапливалась вода.

Таджики — настоящие землеройки. Траншеи — глубокие, ровные. Никто не умел так работать с землей.

Белорусы клали стены. Хорошие каменщики, белорусы.

Молдаване штукатурили. Красили.

Армян Мака избегала. Хитрят. Но Маку перехитрить нереально. Она видит человека сразу и всего в полный рост и на полтора метра в землю.

Рабочие в основном — временщики. Хапнуть — и в норку. Эффект суслика. Но встречались таланты. Мака их сразу замечала.

Среди таджиков она отобрала Саида. Сорокалетнего учителя математики. Все, за что брался, делал безукоризненно, добротно. Здоровался сдержанно и уважительно. Интеллигентный, значительный — буквально лауреат Нобелевской премии.

Мака предложила Саиду постоянное место в своей

бригаде, дала хорошую зарплату. Это была большая удача, но он не показал радости. Выслушал бесстрастно. Бровью не повел. Видимо, деньги и удобства — это временные ценности для Саида. Ему важнее — постоянные ценности: честность, достоинство, Аллах акбар...

Мака тоже стала брать на горло, как Федорыч. Никому не верила и орала. По-хорошему ничего не получалось. И только с Саидом вела себя как на дипломатическом приеме: внимательно слушала. Выбирала выражения.

Со временем Мака превратилась в хабалку. Возможно, такого слова не существует в русском языке. Но что это значит, можно догадаться. Хабалка — женщина громкая, грубая, бесцеремонная и зажимистая. О воспитании не может быть и речи.

Мака и Федорыч иногда схлестывались, как два акына на состязании. Было что послушать. Бушевала такая сдвоенная энергия, что могли рухнуть потолочные балки.

И внешне Мака изменилась. Между бровями легла привычная складка — след долгих раздражений. Она редко улыбалась. Никому не верила — все врут и воруют. Смотрела напряженно, как куница, выслеживающая добычу.

Но бывало — улыбалась. И тогда рассвет над Москвой-рекой. Зубы белые, глаза лучатся, деньги во всех банках земного шара. Не женщина — мечта.

Деньги были. Но Мака страдала. А вдруг деньги кончатся? На что жить? Можно сдавать пятикомнатную квартиру в центре, но там окопался Мика. Необходимо выковырять Мику из квартиры. Это не просто. Если Мика чего-то не хочет...

Мика всю жизнь на ней ехал. И сейчас продолжает. И все кончится тем, что она умрет, а он останется и будет тратить ее деньги с новой женой.

За окном начало светать. Спальня выплыла из мрака. У Маки была большая спальня — шестьдесят метров. И большая кровать. Лучшая кровать в мире. Матрас плыл пароходом из Италии. В Италии его изготовляли по особым технологиям. Пришлось платить за технологии и за пароход, но зато не матрас — счастье. Значит, пришлось платить за счастье.

Мака давно жила хорошо и широко и не представляла себе, как спала когда-то на раскладном диване в разгороженной комнате. С Микой. Сейчас она спит одна. Половина пуста. И это тоже счастье — спать одной. Счастье номер два. Можно раскинуться во все стороны. Свобода!

Неожиданно Мака заснула. И проспала до полудня. Рабочие в это время уже садятся обедать.

Снизу поднимался запах ванили. Домработница Люба пекла пирожки: с мясом, с капустой и с картошкой.

Мака абсолютно выспалась, как ни странно. Утро оказалось мудренее вечера. Все выглядело не так мрачно, как ночью.

Мака сложила пирожки в целлофановый пакет и поехала на стройку. Через десять дней — сдача объекта. Праздник.

Мака никогда не нарушала традицию: в конце работы должен быть праздник. Иначе жизнь превращается в нескончаемый будний день.

Таджики затевали плов.

Шашлык — само собой.

Ящик водки — под столом.

Душа горит чистым пламенем. Все люди — братья. Так оно и есть.

Мака раздавала «премиалку». Она всегда рассчитывалась честно. Команда ждала следующий дом и заранее влюблялась в него. Труд постепенно из рабского перерастал в творческий.

Дом — родовое гнездо. Оно будет переходить из поколения в поколение. Важно, чтобы дом был красивый. Федорыч считал: красота — ерунда. Главное — здоровье дома. Должно быть тепло и светло, и все текло куда надо, и правильно вытекало.

Дом — как выигранное сражение. А Мака — генералиссимус.

Когда Мака подъехала, хлынул дождь.

Рабочие стояли под навесом в плащах, надвинув капюшоны, и были похожи на ку-клукс-клан.

Федорыча не было на месте. Где-то задержался, крутил свои дела. Он был большой крутила. Но делу это не мешало.

Семен с загипсованной рукой сидел на крыше. Под проливным дождем. Не может человек без работы. И Мака не может.

А Мика мог. Это была его стихия: сидеть и ничего не делать. Сидеть в кресле и трясти ногой, качая тапок.

С таким же упоением чайки парят над волнами. Но они охотятся за рыбой.

А Мика не охотился. Зачем? Мака заработает, купит и привезет.

Мика мог читать сутками, сидя в кресле. Интересно: куда девались эти знания? Для чего они служили? Для усовершенствования? Вернее, для самоусовершенствования. Может быть, это смысл жизни? Постоянно усовершенствовать себя.

Мака не стала выходить из машины.

— В Москву. Домой, — скомандовала она своему шоферу.

Шофер Сережа лихо развернул машину. Он был хороший шофер и красивый мужик, на него было приятно смотреть. Но имел манеру вмешиваться в разговор. Если Мака говорила по мобильному телефону, Сережа комментировал. С одной стороны, это фамильярность. С другой — заинтересованность. А ведь приятно, когда кто-то заинтересован в твоей жизни.

Сережа включил приемник. Заиграло радио «Шансон». Старые песни — песни их молодости. В свое время они вместе пели. А сейчас — не поют и не вместе.

Мака сидит в своем загородном доме и строит. Мика сидит в Москве, в новой пятикомнатной квартире. И дружит. Единственный талант, который прорезался в Мике, — дружить. Он дружил с упоением и с полной самоотдачей.

Вокруг него образовалось сообщество из семи человек. В основном — коллеги по работе. Вместе ездили отдыхать на море, на рыбалку, на горные лыжи. По выходным собирались у Мики — пустая квартира. Выпивали и веселились от души. Как дети. Спорили. Искали истину.

Мика не был ведущим. Он был ведомый, но ему нравилось на вторых ролях. Исполнитель. Если ему что-то поручали, он делал точно и тщательно. Можно не перепроверять. Его любили. И он любил своих друзей. И был по-своему счастлив этой двусторонней привязанностью.

Мака иногда думала: что это за компания? Масонская ложа? Орден неудачников? Нет. Среди этой семерки попадались состоявшиеся мужики, занимающие хорошие посты.

Мака подозревала, что у них не удалась личная жизнь. Недостаток в любви они восполняли дружбой.

Принято считать, что несчастными бывают только женщины. Вовсе нет.

Мужчины тоже бывают несчастны, когда натыкаются на непонимание.

Мика удивился при виде своей принаряженной, целеустремленной жены.

— Что-то случилось? — спросил Мика, оставаясь в кресле.

— Случилось. Я хочу, чтобы ты переехал на дачу.

— С какой стати?

— Я хочу сдать нашу московскую квартиру.

— Зачем?

— Чтобы получать деньги. Зарабатывать. Знаешь, сколько сейчас стоит пятикомнатная квартира в центре?

— Зачем тебе деньги? Ты же работаешь.

— Мне надоело работать. Я хочу жить, как ты. Сидеть и ничего не делать.

— Кто тебе мешает?

— Ты. Расселся один в пяти комнатах, а я вынуждена корячиться.

Мика промолчал. Принял к сведению. Потом сказал:

— Сдавать квартиру — это все равно что отдавать ее на поругание.

— Я знала, что ты не согласишься. Будешь тормозить всеми четырьмя лапами.

— Я урбанист. Люблю город и шум города. А дачную тишину я не выношу.

— Тогда давай разведемся.

— Зачем? Мы и так живем врозь.

— Я разменяю эту квартиру на две. И свою сдам.

— Зачем разменивать хорошую квартиру на две плохих? — удивился Мика.

Мака задумалась. В самом деле: зачем обесценивать хорошую квартиру, доставшуюся с таким трудом. Она ходила на прием к мэру Москвы. Это тоже целая эпопея, но сейчас не об этом. План переселения рушился. Надо куда-то пристроить Мику. Может быть, купить ему однокомнатную квартиру в спальном районе? Но Мика может отказаться. Он привык жить просторно.

— А где твоя Марья Ивановна? — спросила Мака.

Мика тяжело вздохнул. Ему не хотелось продолжать эту тему.

...Однажды Мака вернулась из своего загорода и застала в квартире большую компанию — семь друганов плюс молодая женщина. Не очень молодая, лет сорока. Похожа на певицу Толкунову — милая, русская, все волосы назад, лоб открыт, коса, переплетенная жемчужной ниткой. Просто Марья-краса.

Вся компания шумно обрадовалась Маке, а гостья старалась не смотреть в ее сторону. Мака сразу сообразила: это пассия Мики. Он решил, что она затеряется среди мужчин, будет непонятно: чья. Но Мака — стреляный воробей. Ей сразу стало понятно: чья. Она поразилась смелости Мики — не постеснялся привести любовницу в дом. И вел себя странно. Вызывающе. Дескать, никто мне не указ.

Мака посмотрела, посмотрела и ушла в свою комнату.

Она, конечно, могла шугануть всю эту компанию. Выставить за дверь. Но не захотела унижать Мику. Пусть изображает хозяина жизни. От Маки не убудет. Да и женщина не противная. Милая. Только у нее ничего не получится. Эту Марью-красу надо содержать, а если она не одна, а с ребенком, что вполне возможно, то надо содержать и ребенка. И нравиться этому ребенку и быть с ним справедливым. Воспитывать. А зачем? Мике гораздо комфортнее сидеть в кресле и трясти тапком. У него свои две дочери. А он способен любить только свое. Любить свое и ничего не делать.

Так оно и вышло. Марья Ивановна растворилась в пространстве вместе со своими жемчужинами. Вместо нее появилась новая. По телефону. У новой был явно еврейский акцент и характерное картавое «р». Мака прозвала ее Сара Моисеевна.

Эта Сара Моисеевна ей тоже нравилась. Тактичная, умная. Не нарывается. Скромно спросит:

— Можно Михаила Евгеньевича?

— Его нет, — ответит Мака. — Что передать?

— Передайте, что звонили с работы.

— Хорошо, передам.

Мака опускала трубку, входила в комнату и сообщала мужу:

— Звонила Сара Моисеевна.

Мика не комментировал. Он не поддерживал эти темы. Не хотел свидетельствовать против себя.

А может, и не было никаких Сары Моисеевны и Марьи Ивановны. Просто ревность стареющей Маки. И в самом деле: если она его не обнимает, то ведь кто-то должен это делать.

Единственная союзница Маки — Микина лень. Лень придавливает Мику к креслу, ставит его на якорь, лишает маневренности.

Не был бы Мика ленивый, давно бы сбежал.

Зазвонил телефон. Мака любила потрындеть по телефону. С подругами.

Жаловалась на жизнь. На Мику.

— Не парься, — утешали подруги. — Он тебя не бросит. Он — порядочный.

— Блядует — и порядочный? А кто тогда непорядочный?

— Тот, кто предает. Мика — не предатель, как все остальные. Посмотри вокруг себя...

И в самом деле. Никто не сохранил первый брак. Все разошлись по нескольку раз.

Последнее время вообще мода пошла: мужики после сорока бросают своих жен после сорока и женятся на ровесницах своих дочерей.

В Америке — хороший закон: раздевает такого мужика догола. Хочешь трахаться — становишься бедным. А у нас в России ничего не меняется. Предал — и пошел дальше.

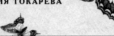

— А какой толк от Мики? — вопрошает Мака.

— Он тебя похоронит, — утешают подруги.

— А не все равно, КТО похоронит?

— Не все равно. Это — самое главное. Итог.

Мака решила переночевать в Москве, чтобы не возвращаться в пробках.

Пробки — реалии последних лет. О чем это говорит? Выросло благосостояние трудящихся. Почти у каждого в семье — машина. А то и две.

Мака заглянула в холодильник. Блинчики «Морозко», яйца, три помидора и три яблока.

Мака вспомнила про пирожки, вытащила их из сумки, сунула в холодильник.

Три пирожка разогрела в микроволновой печи. Подала Мике.

Он стал есть, опустив голову, лбом вперед и походил на ребенка в казенном доме, к которому приехала мама на родительский день.

— Не понимаю, почему ты не хочешь жить за городом? Там воздух. Домработница. Ел бы по-человечески. Гулял по живописным окрестностям...

— У меня друзья.

— Значит, у тебя друзья, а я должна пахать, как папа Карло?

— У попа была собака, — отозвался Мика и включил телевизор.

По телевизору передавали «Новости». Мика интересовался текущим моментом. Нога на ноге. Губа на губе. В стране жулик на жулике.

* * *

Мака поднялась и пошла к соседке. Унесла раздражение из дома.

Соседка — учительница французского, зарабатывала тем, что пекла торты на заказ. Она придавала тортам нужную форму. Оставались обрезки.

Сели пить чай с обрезками. Они были пропитаны растопленной шоколадной крошкой и ликером.

— Песня... — произнесла Мака. У нее было два слова на все случаи жизни: «песня» и «ссуки»... «Песня» — одобрение. «Ссуки» — возмущение. Два слова. Очень удобно.

— Коман са ва? — спросила соседка по-французски.

— Хочу развестись, — поделилась Мака.

— С кем? — не поняла соседка.

— С мужем.

— Молодую завел? — догадалась соседка.

— Никого он не завел.

— Ты молодого нашла?

— Никого я не нашла. Еще чего.

— Тогда в чем дело?

— Молодой, молодая, — передразнила Мака. — А старые что, не живут?

— Старые доживают, — заметила соседка. — Надо было раньше думать.

— Раньше? Но когда? Дети росли. Им был нужен отец.

— А сейчас не нужен?

— И сейчас нужен, — сказала Мака.

Дочери любили отца и мать по-разному. Умом — мать, от нее больше помощи и поддержки. А сердцем — отца.

Между ними пролегала та наивная и нерассуждающая любовь, которая бывает только между близкими людьми.

— Кровь — не вода, — задумчиво проговорила Мака. — Внуки родятся, им понадобится родной дед.

— Я всегда тебе завидовала, — созналась соседка. — Твой муж — красивый, порядочный, сдержанный. Таких сейчас нет. Таких надо в Красную книгу заносить.

— Но я росла, а он нет.

— А кто обеспечивал твой рост? Кто работал по тылу? На фронте громкие победы, а тыл в тени. Твой муж — скромный человек.

Мака переела сладкого. Желудок давил на диафрагму.

— Ладно. Я пойду. — Она поднялась.

— Передай привет Михаилу Евгеньевичу, — велела соседка.

— А кто это, Михаил Евгеньевич? — не поняла Мака.

— Ну, Мика... Кличку какую-то придумали хорошему человеку.

Мака вернулась в свою квартиру.

Мика смотрел «Вести» по второй программе. Нога на ноге. Губа на губе. Лицо такое, как будто он его отлежал и оно онемело.

— Ты тут сдохнешь, никто не узнает, — проговорила Мака.

— Узнают, — не обиделся Мика.

— Но все-таки, почему ты не хочешь переехать на дачу?

— Ты ведь тоже не хочешь...

Мака растерялась. На даче действительно надо что-то делать. Хотя бы дорожки подмести. А он будет сидеть — губа на губе...

По телевизору шла какая-то байда.

За окном — городской шум. Если открыть форточку, шум усилится. А если сидеть при закрытой — душно.

— Отвези меня на дачу, — велела Мака. Она вдруг передумала оставаться.

— Я никуда не поеду. Езжай сама.

— Но я отпустила Сережу.

— Ничего. Возьми такси. Деньги же есть.

— Но я же их не печатаю. Зарабатываю каторжным трудом.

— У попа была собака...

Мака оделась и ушла.

Стояла на обочине. Махала рукой. Ловила такси. Или просто левую машину.

Проезжающие мимо видели немолодую модную тетку с протянутой рукой. Не старуха. Нет. Дама. Она выглядела на десять лет моложе своих лет, но и это много. Машины проезжали мимо — равнодушные, как живые существа.

И снова — ничего не изменилось. Он — у себя. Она едет к себе. Он делает что хочет. И она делает что хочет.

Рано утром позвонила Женя, сестра Мики.

Женя говорила басом. Маке всегда казалось в первую минуту, что это мужик.

— Мака, — прогудела Женя. — Мике плохо. Он мне звонил, прощался.

— Как это? — оторопела Мака.

— Сказал, что еле дошел до туалета. По стенке шел.

Мака бросила трубку.

Она быстро оделась, как пожарник. Буквально за несколько секунд. Не стала вызывать Сережу. Схватила левую машину.

Мика лежал на своей кровати, бледный до зелени. Мака остановилась в дверях.

— В чем дело? — строго спросила Мака. — Ты же только что отдыхал в санатории...

Мика молчал. Ему было трудно говорить. Но Маке необходимо знать все, и она слово за словом вытянула из Мики всю историю болезни.

...Мика с друзьями решили поехать в санаторий «Сосны» и пожить там неделю. Мика должен был предоставить себя и свою машину. Впереди двое, на заднем сиденье — двое: итого четыре человека. Остальные доберутся на машине Рудика Голованова.

Прибудут в «Сосны» в полном составе под звон фанфар.

Выезд в семь утра, чтобы к девяти успеть на завтрак.

Мика проснулся в шесть утра. Его продирал озноб вдоль позвоночника. Мика не поленился и сунул под мышку градусник. Градусник показал 39 и 7. Практически сорок.

Что делать? Можно обзвонить друзей, все объяснить. Но они уже сидят на чемоданах и смотрят на часы. И не поверят. Решат, что Мика просто соскочил с тяжелого мероприятия. Дорога — пятьдесят километров. Кому охота напрягаться...

Мика полежал, глядя в потолок. Подумал: «Ну не умру же я, в конце концов...» Оделся и поехал.

У него оказалось воспаление легких. Но он об этом не догадывался.

Мика прожил в доме отдыха положенную неделю и ни разу не пригласил врача. Он не любил обращаться к врачам. Ненавидел, когда до него дотрагивались. Не верил в медицину.

Он лежал на своей койке, полыхая в огне температуры, и выжидал. Привычная тактика: выжидать. И что поразительно, друзья тоже не пригласили врача. Пили, гудели, кадрили женщин с круглыми попками и даже Мике приволокли подходящую. Но он лежал, не поднимая головы. Организм боролся с болезнью, как дикий барс с Мцыри. Кто победит — неясно.

Неделя прошла как в тумане. Все вернулись обратно. Экипаж в полном составе. Мика — за рулем.

Мика развез всех троих по адресам. Неудобно высадить посреди Москвы. Три разных конца города плюс пробки.

После чего приехал домой — и лег. «Под своды шалаша на лыки. И умер бедный раб у ног непобедимого владыки».

И непобедимый владыка — это дружба. Во имя дружбы готов пожертвовать жизнью. Мика лежал и чувствовал, что все силы покинули его. Видимо, иммунная система сказала: все! И отключилась.

Мика лежал и просил кого-то (неизвестно кого) послать ему легкую смерть, чтобы не мучиться в конце.

В дверях появилась Мака — то ли кошмар, то ли спасение. А скорее всего первое и второе.

Мака всегда была сильная и активная, и Мике хотелось отбежать от нее и спрятаться в норку. Дружба — это тоже норка.

— Как же ты поехал с температурой? — спросила Мака.

— А что я мог сделать?

— Мог остаться дома и вызвать врача.

— Не мог.

— А если бы ты умер в дороге?

Мика пожал плечами. Если бы умер, это была бы уже другая история.

— Друзья называется... Они пользуются тобой, а ты и рад.

Это неправда, но у Мики не было сил возражать. Никто никем не пользуется. Он рад услужить им, а они — ему. Мужская дружба. Каждый вкладывает кусок души, и никто не считает: кто больше.

— А в санатории что, нет врача? — спросила Мака.

— Есть.

— Почему ты не вызвал?

— Думал, пройдет.

Приехала старшая дочь Лиза. Привезла курицу с базара. Мака и Лиза начали вместе варить бульон.

— Ну не козел? — спросила Лиза, имея в виду родного отца. — Класть жизнь на дружбу.

— А на что еще класть? — спросила Мака, пробуя бульон. — Курицей пахнет.

— Но это же курица, не ястреб.

— Не ястреб, точно, — согласилась Мака. — Жрем что попало. Пенициллиновые мутанты.

— Кто? — не поняла Лиза. — Люди или продукты?

— Те и другие.

***

Вызвали врача из платной поликлиники.

Пришла шестидесятница в вязаном жилете. Звать — Вера Николаевна. Мака успокоилась. Врач принадлежала к ее поколению. А это значит — хорошее образование и добросовестное отношение.

Вера Николаевна быстро определила пневмонию. Назначила антибиотики — лошадиную дозу. Но видимо, так надо. Назначила лабораторные анализы на дом. Завтра приедут медсестры из лаборатории.

Деньги потекли рекой. Деньги Маки, разумеется. Он дружит, а Мака расплачивается.

Вера Николаевна ушла, оставила свет надежды.

Мака позвонила шоферу Сереже и попросила привезти антибиотики. Сережа появился через полчаса.

Мика недоверчиво рассматривал коробочку.

— Зачем ты водилу послал? — спросил он.

— А какая разница? — удивилась Мака.

Мика не ответил. Он доверял только Маке, и лекарство, купленное другим человеком, казалось ему подделкой. Мака — каменная стена, за которой ему надежно. С Макой он не умрет.

Мика выпил две таблетки сразу. Ударная доза.

Ему дали бульон в керамической чашке.

— Еврейский стрептоцид, — сказала Лиза.

Мика стал пить медленными глотками. Каждый глоток казался целебным.

— Папа, можно вопрос? — спросила Лиза.

Он поднял на нее большие глаза. Раньше они были синие,

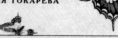

как небо в Сочи. А теперь — серые, как небо в Воркуте. Но все равно это был тот же самый Мика, похожий на американского Андрея Болконского. Постаревший, обветшавший, но все-таки — он.

«И в самом деле, зачем сдавать квартиру», — усомнилась Мака. Это их дом. Сюда они сбегаются, как маленький табун, окружают ослабевшего и спасают от смерти.

А что деньги? Бумажки, которые спасают от страха. Не надо бояться. Но Мака этого не умела. Она всегда чего-то боялась. Не одного, так другого. Боялась коммунистов: придут и раскулачат. Боялась братков: придут и отберут. Боялась, что умрет. Боялась, что заживется на этом свете и не хватит денег.

Мика смотрел на Лизу: ждал вопроса.

— Как можно было с температурой развозить твоих козлов по домам? — спросила Лиза. — Они же видели, что ты еле дышишь!

Мика задумался. Он не хотел подвергать ревизии своих друзей. Так же собаки не обсуждают между собой своих хозяев.

Дружба — это то, чему он служит. Идефикс. Лучше иметь ложную идею, чем никакой.

Мака осталась в квартире. Решила поухаживать за больным Микой. Но не очень получалось.

Во вторник помчалась на строительную выставку. Чего там только не было... Дома финские из бруса, канадские дома-сандвичи. Срок исполнения заказа — шесть месяцев. Полгода — и дом собран.

Какая плитка. Какие краски... Просто сады Семира-миды.

В среду Мака помчалась в гости к подружке-шведке. Там была интересная еда шестнадцатого века: вяленое мясо с гороховым пюре. Понятное дело: в шестнадцатом веке холодильников не было. Мясо солили, вялили, запасались на зиму.

У шведки бывали интересные люди и малоинтересные. Например, баба-политик. Она села, раскрыла рот и не закрывала его сорок минут. Слушать нечего. Смотреть не на что. Перебить — нереально. Приходилось терпеть.

В четверг Мака посетила театр «Современник». Спектакль был хороший. Странно. Страна рушится, а искусство живет.

А может, страна и не рушится. Жить стало интереснее — таким хищникам, как Мака. А таким травоядным, как Мика, — просто джунгли. Ложись и помирай. Одна надежда на демократию. Демократия наберет силу, и тогда всем места хватит: и хищникам, и травоядным.

Но что такое демократия? С чем ее едят?

В пятницу утром Мика сказал:

— Уезжай на дачу.

— Почему? — удивилась Мака.

— Потому что ты не моешь посуду.

Мака действительно не мыла посуду. Складывала в мойку. Она привыкла, что эту работу за нее делает домработница.

— Убирать за тобой у меня нет сил, — продолжал Мика. — А в грязи я сидеть не намерен.

Мака почувствовала, как ее душа взметнулась от радости. Она тоже хотела на дачу. Там работа. Там дела. Сдача дома.

Мака не могла существовать без работы более трех дней. А три дня уже прошли.

— Хорошо, — согласилась Мака. — Я сварю тебе борщ и уеду.

— Нет! — вскрикнул Мика. — От тебя столько грязи, что никакого борща не захочешь.

— Какой грязи?

— Овощи начнешь чистить. Свекла, морковь, картошка, лук, целый сугроб. Не надо. Я сам себе сварю.

— А ты в состоянии?

— Да. Я лучше себя чувствую.

Курс антибиотиков подходил к концу. Мика воспрял. Он уже сидел в кресле с газетой и тряс тапок. Прыгающий тапок — гарантия стабильности.

— Ну хорошо, — легко согласилась Мака. — Я поеду к себе. Если что, звони...

Мака вызвала Сережу. Он подъехал через полчаса.

Мака уселась на заднее сиденье — самое безопасное место. Сережа — хороший шофер, но дорога есть дорога. Какой-нибудь идиот возьмет и влепится.

Сережа включил приемник. Запел мужской голос. Очень красивый. Кто это? Мака стала вспоминать. Последнее время у нее было плохо с именами, забывала, как кого зовут. Возраст.

Неизвестный пел, как Орфей.

Мака думала о муже, которого она оставила одного. Но он так хотел. И ее это устраивало. Она тоже хотела уехать.

Каждый живет свою жизнь — ту, которую он любит. В их жизни ничего не меняется. И НЕ ДОЛЖНО меняться.

Эта мысль впервые пришла в голову Маке: не должно меняться, потому и не меняется.

Предположим, Мика был бы другой: деятельный, результативный. Тогда и Мака была бы другой. Зачем ей быть генералиссимусом? Расслабилась и текла бы как речка — издалека долго.

Супруги — это волы, запряженные в одну повозку. Два вола тянут воз семейной жизни. Один вол — филонит. Тогда другой тянет за двоих. Напрягается. Наращивает мышечную массу. И через какое-то время это уже совсем другой вол — сильный, самоуверенный, ничего не боящийся.

Хотела бы Мака пастись, как корова на лугу, позвякивая колокольчиком? Да никогда. Она может жить только так, как она живет. А для этого нужен Мика, такой как он есть. С тапком.

Бог не случайно свел эту парочку: Мака и Мика. Создатель долго тасовал колоду, чтобы вытащить эти две карты и положить рядом.

Через какое-то время они оба предстанут перед Господом. Он спросит: «Что вы делали в жизни?»

— Я зарабатывала, — ответит Мака.

— А я дружил, — ответит Мика.

И неизвестно, кого из них Создатель одобрит больше. Совсем неизвестно.

Машина медленно двигалась в пробке.

Округлые серые спины машин. Казалось, бегемоты идут на водопой.

«Ужас...» — подумала Мака.

Через час машина свернула вправо, в зеленый поселок.

Мачтовые сосны, белые березы, хрустальный воздух, царство царя Берендея. Счастье...

Настала зима. Ничего не изменилось, кроме температуры воздуха. Приходилось добавлять в бетон специальный раствор, чтобы кладка была состоятельной.

Зимой безрадостно. Недаром птицы улетают в теплые края. Счастливая страна Куба. Там всегда лето, даже в январе. И в Европе теплее на десять градусов, чем в России. Только Россия по полгода трясется от холода. Недаром пьют. Греются. Разнообразят жизнь.

Мика умер в самом начале февраля. Ранним утром. В одночасье. Оказывается, у него было больное сердце, а он и не знал, поскольку никогда не обращался к врачам.

Хоронить собралось много народу. Буквально толпа. Мака волновалась: хватит ли на всех автобусов?

Марья Ивановна и Сара Моисеевна не присутствовали из деликатности. А может, их не было вообще.

Квартира освободилась. Можно было ее сдавать. Но Мака не хотела пускать чужих людей в свое родовое гнездо.

Она не хотела больше ничего.

Сальто-мортале

Александра Петровна перлась с двумя продуктовыми сумками на пятый этаж. Отдыхала после каждого лестничного марша.

Дом был старый, построенный в тридцатых годах. Без лифта, хотя место для лифта было — широкий колодец. Туда даже бросилась однажды молодая женщина. Сначала бросилась, потом одумалась, а уже поздно. Установили бы лифт, заняли бы место, и некуда кидаться вниз головой.

Александра Петровна поставила свои сумки на втором этаже. Отдышалась. Сердце тянуло плохо, мотор износился. Раньше она не замечала своего сердца, не знала даже, в какой оно стороне — слева или справа. Ее молодое сердце успевало все: и любить, и страдать, и гонять кровь по всему организму.

А сейчас — ни первое, ни второе. Она устала страдать. Ей было лень жить. Жила по привычке.

Александра Петровна — начинающая старуха. Пятьдесят пять лет — юность старости. Она преподавала музыкальную грамоту в училище при консерватории. Посещала концерты. Следила за музыкальным процессом в стране. Процесс, как ни странно, не прерывался. Советский Союз рухнул, а музыка витала и парила, как бессмертная душа. Появлялись новые музыканты, ничем не хуже старых.

Интересное наблюдение: в тридцатые годы жили плохо, а строили хорошо. Дом до сих пор стоит, как крепость, — добротный и красивый.

В девяностые годы люди живут, «под собою не чуя страны», а искусства расцветают, рождаются вундеркинды. Как это понимать? Значит, одно не зависит от другого. Талант не зависит от бытия.

Александра Петровна подняла сумки и двинулась дальше. Прошагала еще два марша. Снова передых. Она подняла голову, посмотрела вверх. В доме было пять этажей. Последнее время многие квартиры раскупили новые русские. Дом был с толстыми стенами, как крепость. Таких сейчас не строят. Экономят. И конечно — местоположение в самом центре, в тихом переулке. Лучшего места не бывает. Тихо и ото всего близко.

Квартиру получил муж. Он преподавал в военной академии. Без пяти минут генерал.

Муж был на двадцать лет старше. Ровесник матери. Между ними шла постоянная война. Борьба за власть. Причина военных действий — Шура.

Мать привыкла быть главной и единственной в жизни Шуры, а муж — военный, почти генерал. Привык командовать и подчинять. В армии подчиняются беспрекословно. Не спрашивают, вопросов не задают. «Есть» — и руку под козырек.

Теща — безграмотная, шумная и деятельная — захотела взять верх над полковником, почти генералом. Это же смешно.

Полковник был прямолинейный, как бревно. Никакой дипломатии, никаких компромиссов. Это пусть интеллигенция крутится, как уж на сковороде. А у него только: «выполнять» или «отставить».

Шура металась между ними, пыталась соединить несоединимое.

Все кончилось тем, что полковник перестал замечать свою тещу. Смотрел сквозь. Вроде — это не человек, а пустое место. После ужина не говорил «спасибо». Молча ел, вставал и уходил.

Это было ужасно. Шурина мама корячилась у плиты на больных ногах, изображала обед из трех блюд. Тратила не менее трех часов. А этот солдафон садился за стол, за десять минут съедал все утро, все силы и кулинарный талант и уходил с неподвижным лицом.

Даже официанту в ресторане говорят «спасибо», хотя там все оплачено.

С другой стороны: муж — это муж. Защита, держатель денег, отец ребенка. И красавец, между прочим. Штирлиц один к одному. Только Штирлиц — шатен, а этот русый. Он тоже был важен и необходим. Все настоящее и будущее было связано с ним. Когда теща отлучалась из дома (в санаторий, например), когда им никто не мешал и не путался под ногами — наступало тихое счастье. Как жара в августе.

Но мать — это мать. Плюс жилищная проблема. Приходилось мириться с существующим положением вещей.

Выбор был невозможен, однако мать постоянно ставила проблему выбора. Накручивала Шуру против мужа. Ни минуты покоя. У Шуры уже дергался глаз и развилась тахикардия. Сердце лупило в два раза быстрее.

Шуре казалось, что она умрет скорее, чем они. Но ошиблась.

Шура прошла еще два марша. Остановилась. Лестница была старая, пологая, удобная. С дубовыми перилами, отполированными многими ладонями. Как много с ней связано. По ней волокла вниз и вверх коляску маленькой дочери. По ней вела полковника в больницу. Ему было семьдесят лет. Не мало. Но и не так уж много. Еще десять лет вполне мог бы прихватить.

Шуре было тогда пятьдесят. Выглядела на тридцать. Молодость, как тяжелый товарный поезд, все катила по инерции. Не могла остановиться. Длинный тормозной путь.

Шура ярко красила губы и была похожа на переспелую земляничку, особенно сладкую и душистую. Ее хотелось съесть.

Лечащий врач, тоже полковник, пригласил Шуру в ординаторскую. Налил ей стакан водки и сказал, что у «Штирлица» рак легкого в последней стадии.

— Сколько ему осталось? — спросила Шура.

— Нисколько, — ответил врач.

— У него же сердце... — растерянно не поверила Шура. Муж всегда жаловался на сердце и пил лекарства от давления.

— Там это все рядом, — сказал врач.

У него было сизое лицо, и Шура догадалась, что врач — пьющий.

Шура выпила еще один стакан водки, чтобы как-то заглушить новость. Но стало еще хуже. Полная муть и мрак.

Она вернулась к мужу и спросила:

— Хочешь что-нибудь съесть? Хочешь яблочко?

— Ты мое яблочко, — сказал полковник.

Это было наивысшее проявление благодарности и любви. Без пяти минут генерал был сдержан и аскетичен в проявлении чувств.

Он умер через неделю у нее на руках. Шура встретила его последний взгляд. В нем стоял ужас. Он успел проговорить:

— Это конец...

Значит, конец страшен. Может быть, страшна разлука? Человек уходит в ничто. В ночь. И все эти разговоры о бессмертии души — только разговоры.

Шура вернулась домой и сказала матери:

— Павел умер.

Мать закричала так громко и отчаянно, что стая ворон поднялась с крыши дома напротив. Шура увидела, как они взлетели, вспугнутые криком.

Мать рыдала, причитая:

— Как нам теперь будет пло-охо...

Шура в глубине души не понимала мать. Умер ее не враг, конечно, но обидчик. Почему она так страдает?

Потом поняла. Противостояние характеров создавало напряжение, которое ее питало. Мать получала адреналин, которого так не хватало в ее однообразной старушечьей жизни. Мать не была старухой. Она была молодая, просто долго жила. За неимением впечатлений, мать питалась противостоянием и по-своему любила Павла. Как собака хозяина. Она чувствовала в нем лидера.

Если бы полковник слышал, как теща будет его оплакивать. Как тосковать...

Дочь Шуры уехала с мужем в Австралию. Что они там забыли?..

Дочь уехала. Павел умер. Шура и мать остались вдвоем, в просторной генеральской квартире.

Мать умерла через год. Видимо, полковник ее позвал. Ему было там скучно одному. Не с кем меряться силами.

Мать заснула и не проснулась. Может быть, не заметила, что умерла. Легкая смерть была ей подарена за тяжелую жизнь.

Шура осталась одна. Пробовала завести кота, но кот сбежал. Надо было кастрировать, а жаль. Зачем уродовать животное в своих человеческих интересах...

Как трудно жить одной, когда не с кем слова перемолвить. Единственная отдушина — телевизор. Шура подсела на телевизор, как наркоман на иглу. Прямо тянуло. Но и в телевизоре — жуть и муть. Воруют, убивают из-за денег. Получается, что деньги дороже жизни. Деньги стали национальной идеей. Раньше шли на смерть за веру, царя и отечество. А теперь — за горсть алмазов, за нефтяную скважину. Нацию перекосило. Все продается, и все покупается, включая честь и совесть. А депутаты рассматривают власть как личный бизнес. До страны никому нет дела.

Шура любила советские фильмы семидесятых годов. И тосковала по семидесятым годам. Там была молодость, мама, Павел, который был тогда старший лейтенант, сокращенно старлей. Он ухаживал, приходил в дом. И мама готовила грибной суп из белых сухих грибов. Какой стоял аромат! У матери были вкусные руки. В ней был запрятан кулинарный и человеческий талант. И все, что она ни делала, — все было так ярко, необычно. И звездочки всегда горели в ее карих глазах. Глаза были острые, жаркие, яркие. Ах, мама...

Шура влезла на свой пятый этаж. Возле батареи притулился седой мужик, похожий на инженера семидесятых годов, в искусственной дубленке.

Вообще-то инженер — не негр, обычный человек, и никаких особых примет у инженера не бывает. Тем не менее скромность, покорность судьбе, невозможность изменить что-либо — все это читалось в глазах сидящего человека.

— А что вы здесь делаете? — спросила Шура.

— Греюсь, — просто сказал инженер.

— А почему здесь?

— Последний этаж, — пояснил инженер.

— Ну и что? — не поняла Шура.

— Меньше народа. Не выгонят.

— А вы что, бездомный?

— В каком-то смысле, — ответил инженер и добавил: — Не гоните меня...

— Да ладно, сидите, — смутилась Шура.

Подумала про себя: чего только не бывает, приличный мужик, сидит, как бомж... Может быть, его кинули с квартирой? Стал жертвой аферистов...

Шура открыла ключом свою дверь.

Вошла в квартиру. Разделась. Разобрала сумки. Вытащила бутылку шампанского. Шампанское она пила безо всякого повода. Там был углекислый газ. Он благотворно действовал на сердце.

Шура предвкушала, как вечером сядет перед телевизором, достанет хрустальный фужер на высокой ножке, и — вот он, желанный покой, вот оно, блаженное одиночество. Оказывается, покой и одиночество — это два конца одной палки. А абсолютный покой и абсолютное одиночество — это небытие. То, чего достигли мама и Павел — самые близкие, самые драгоценные люди.

Шура разложила продукты по местам: что-то в морозильную камеру. Что-то в холодильник. Крупы — в буфет.

Инженер не шел из головы. Как это он сидит на лестнице? Все-таки человек. Не собака.

Шура вышла на площадку. Инженер читал газету.

— Простите, вы голодный? — спросила Шура.

Инженер опустил газету. Молчал.

— Вы когда ели в последний раз? — уточнила Шура.

— Вчера.

— Дать вам супу?

Инженер молчал. Ему одинаково трудно было согласиться и отказаться.

— Заходите, — пригласила Шура.

Он поднялся. На нем были черные джинсы, дорогие ботинки. Бомжи так не одеваются. Инженер был похож на породистую собаку, потерявшую хозяина. На лице глубокие морщины, нос чуть-чуть лежал на щеках, как у актера Бельмондо. Лицо мужественное, а улыбка детская и большие синие глаза. Его было совершенно не страшно пригласить в дом. Лицо — как документ, очень многое сообщает о человеке. И видящий да увидит.

Муж Павел, например, обладал лицом, по которому сразу становилось ясно: честный, порядочный человек. А какие лица у сегодняшних политиков? Себе на уме. Именно себе. Фармазоны и хитрованы.

Инженер вошел. Снял ботинки.

Шура достала ему тапки — не Павла, нет. Гостевые, страшненькие.

Инженер прошел в кухню. Сел к столу.

Шура достала водку. Поставила рюмку в виде хрустального сапожка. Налила полную глубокую тарелку супа харчо. Там рис, баранина, чеснок. Энергетический запас супа довольно мощный. На день хватит.

Инженер опустил голову и начал есть. Шура села напротив, с вопросами не приставала, но и удержаться не могла.

— Вы приезжий? — спросила она.

— Нет. Я москвич.

— А чем вы занимаетесь?

— Бомжую, — просто сказал инженер.

— А почему?

— Так вышло.

Он закончил тарелку. Откинулся на стуле.

— Моя жена умерла. Дочь влюбилась в бандита. Привела его в дом. А бандит меня выгнал. «Уходи, — говорит, — а то убью». Ну, я и ушел.

— Куда?

— В никуда.

— Давно?

— Десять дней.

— А где же вы спите?

— На вокзале.

— А у вас что, нет друзей?

— Есть. Но мне неудобно.

— Что «неудобно»?

— Того, что Таня привела бандита. Но Таня и сама не знает. Он ей врет.

— А вы почему не сказали?

— Таня беременна, ей нельзя волноваться.

— А вы в милицию не обращались?

— Тане он сейчас нужнее, чем я. Она его любит. И он ее тоже.

— Какая может быть любовь у бандита?

— Такая же, как у всех остальных. Они тоже люди.

— Они — плохие люди, — поправила Шура.

— Они — другие.

— Вы странный... — сказала Шура. — Вас выгнали из дома, а вы пытаетесь его понять. Толстовец какой-то...

— Если бы у меня были деньги, я бы снял квартиру. Но все деньги ушли на болезнь жены. В смысле, на лечение. А зарплата у меня — стыдно сказать.

— Вы не старый. Могли бы поменять работу.

— Он отобрал у меня паспорт. Я полностью выпал из учета.

— Какое безобразие! — возмутилась Шура и даже ударила рукой по столу. — Хотите, я с ним поговорю?

— С кем? — не понял инженер.

— С бандитом.

— И что вы ему скажете?

— Скажу, что он... не прав.

— Это серьезный аргумент. — Инженер улыбнулся. Встал. — Большое спасибо.

— Подождите. Хотите еще? Впрок...

— Я впрок не ем. Я как собака.

Инженер вышел в прихожую. Надел свои ботинки.

Шуре стало его жалко. Куда он сейчас пойдет, выкинутый и бездомный...

— А вы не врете? — неожиданно спросила она.

— Нет. А почему вы спросили?

— Все это так неправдоподобно...

— Да, — согласился инженер. — Жизнь иногда предлагает такие сюжеты, что никакому писателю-фантасту не придумать.

Инженер надел свою дубленку. Стоял с шапкой в руке.

От него исходила спокойная мирная энергия. И это было странно. Человек в стрессовой ситуации ведет себя совершенно адекватно, как будто все происходит не с ним, а с кем-то. А он — только свидетель.

А как бы повел себя Павел на его месте? Прежде всего он никогда не оказался бы на его месте. Однако поди знай...

— Заходите завтра, — неожиданно пригласила Шура.

— Во сколько?

— Так же, как сегодня. В шесть часов вечера. Я сварю вам борщ на мясном бульоне. Вы должны есть горячее хотя бы раз в день.

— Спасибо, — сдержанно отозвался инженер. В его глазах стояла благодарность, но без подобострастия. — Я приду.

Он ушел. Шура не могла понять: почему она его не задержала? Пусть бы переночевал. У нее есть свободная комната и диван. Поспал бы нормально... Но Шура была из первой половины прошлого века. Можно считать, из мезозоя. Их поколение было воспитано иначе, чем перестроечное.

Инженер — тоже из мезозоя, и может статься, что он больше не появится. Постесняется.

Шура решила не думать, чтобы не расстраиваться, но борщ сварила, на всякий случай. Положила в кастрюлю большой кусок мяса с сахарной косточкой, а дальше все — как мама: лимон, чеснок, зелень и ложку сахара. Сахар — это главное, он выявляет спрятанный вкус. Такой борщ невозможно есть одной. Просто кощунственно. Это все равно, что сидеть одной в зале и слушать божественную музыку. Нужно объединить со-переживание. Со-чувствие. Одиночество — это отсутствие «СО»...

Инженер явился ровно в шесть часов. В его руках была веточка вербы. Сорвал по дороге.

Шура поставила веточку в бутылку из-под кефира. Через несколько дней почки набухнут, и вылупятся пушистые комочки. Это лучше, чем формальные гвоздики.

Инженер стеснялся, но меньше, чем в прошлый раз.

Он не был так скован. Потрогал розетки. Заметил, что одна из них греется. Это опасно. Он проверил проводку. Потом попросил отвертку и укрепил розетки, чтобы прилегали плотно.

— Где вы ночевали? — спросила Шура.

— В приемном покое, — ответил инженер.

Неподалеку находился роддом. Может быть, там решили, что он чей-то папаша или дедушка.

«Как изменилось время, — подумала Шура. — Приличные люди бомжуют, а бандиты живут в их домах». Раньше криминалитет не смешивался с интеллигенцией. Существовали на разных территориях, в разных человеческих слоях.

А сейчас все смешалось. Бардак, да и только. И непонятно — как этому противостоять. Никак. Если только объединиться.

— Послушайте, — сказала Шура. — Так продолжаться не может. Вы должны обратиться в милицию. Пусть его арестуют.

— И моя дочь останется одна, — продолжил инженер.

— Но вы имеете право на свой угол в доме. Вы должны прийти и остаться.

— И он меня убьет...

— Но ваша дочь... Как она это терпит?

— Она не знает. Хорошо, что моя жена умерла. Не дожила до этого позора. Она у меня была с идеалами. Секретарь партийной организации.

— А вы?

— Я никогда в партии не состоял.

— А где вы работали?

— В НИИ. Главный инженер проекта. Сейчас этого НИИ больше нет.

— А инженеров куда?

— Кто куда. Некоторые уехали. Некоторые ушли из профессии. Квартиры ремонтируют. Чипсами торгуют.

Позвонили в дверь.

Шура открыла и увидела свою соседку Римму Коробову.

— У тебя ликер есть? — спросила Римма.

— Нет. Шампанское есть.

— Мне ликер нужен. В пирог добавить.

Шура задумалась.

— А бальзам подойдет? У меня есть мордовский бальзам.

— Надо попробовать.

— Проходи, — пригласила Шура.

Римма прошла в дом. Увидела инженера.

— Здрасьте, — удивилась Римма. Она не предполагала мужчин в доме Шуры.

— Это мой родственник, — представила Шура. — Из Украины. Познакомьтесь.

— Римма...

— Олег Петрович. Алик...

«Внука ждет, а все Алик... — подумала Шура. — Инфантильное поколение...»

Римме было сорок лет. Год назад ее бросил муж Володька. Разбогател и бросил. Наши мужчины дуреют от денег. Считают, что им все можно.

Володька и раньше прихватывал на стороне, но все-таки имел совесть. А последнее время гулял напропалую, думал, что Римма все будет хавать за его деньги. Но Римма не стала хавать. Сказала:

— Пошел вон.

И Володька пошел вон.

Римма не ожидала, что он воспользуется. Думала, что все-таки одумается. Но Володька брызнул как таракан. Его уже поджидала какая-то старшая школьница, на двадцать пять лет моложе. Сейчас это модно. У современных мужиков проблема с потенцией, и наличие рядом молоденькой телки как бы отрицало эту проблему. Молодая подружка была чем-то вроде значка, вернее, знака качества.

Римма вся почернела, обуглилась, как будто выпила соляной кислоты и все в себе сожгла. Шура ее жалела, но скрывала свою жалость. Римма не терпела сочувствия. Гордость не позволяла. Но постепенно лицо ее светлело. Римма выживала.

— Садись с нами, — предложила Шура.

Римма села. Спина у Риммы была прямая. Шея высокая. Головка маленькая, засыпанная чистыми душистыми светлыми волосами. Непонятно, что надо было этому Володьке с короткими ногами и оттопыренной задницей. И ходил, приседая, будто в штаны наложил.

Шура не любила этого предателя Володьку, но помалкивала. Римме было одинаково неприятно, когда ругали или хвалили ее бывшего мужа.

Ругали — значит, обесценивали ее прошлое. Хвалили — значит, крупная рыба соскочила с крючка. Шура помалкивала. Она знала, что все канет в прошлое. Не сразу, но канет. Целая жизнь имеет конец, не то что какой-то Володька...

Шура достала шампанское. Алик ловко открыл. Разлил по фужерам.

— Это мой родственник, — еще раз сказала Шура. — С Украины приехал. Работу ищет.

— С Украины? — удивилась Римма. — А я думала: вы еврей.

— Одно другому не мешает, — сказал Алик. — На Украине много евреев. Они всегда селятся там, где тепло.

— Их автономная республика Биробиджан, — возразила Римма. — Там холодно.

— Так там их и нет. Может быть, один или два.

— А вы какую работу ищете? — спросила Римма.

Алик растерянно посмотрел на Шуру. Он не умел врать.

— Ремонт, — нашлась Шура.

— А обои можете переклеить?

— Легко, — сказал Алик.

— А напарник у вас есть?

— А зачем напарник? — спросила Шура. — Лишние деньги бросать. Сами поможем.

— А вы машину водите? — спросила Римма.

— А зачем тебе? — поинтересовалась Шура.

— Кольку в школу возить. Я не в состоянии просыпаться в полседьмого.

— Я вожу машину, — сказал Алик. — Но у меня ее нет.

— У меня есть. У меня есть все: квартира, машина и деньги.

— Только счастья нет, — вставила Шура, хотя ее не просили.

— А я и не хочу, — спокойно сказала Римма. — Там, где счастье, там — предательство.

Алик задумался. Дочь получила счастье и предала отца, хоть и невольно. Счастье — товар самый ценный и самый нестойкий.

— А где вы будете жить? — Римма смотрела на Алика.

— У меня, — торопливо ответила Шура.

— А вы можете иногда у меня ночевать? Я поздно прихожу. Колька боится один оставаться.

— Переночую, — согласился Алик.

— А утром — в школу отвезти. Потом из школы забрать. Ну, и уроки с ним выучить.

— А ты что будешь делать? — спросила Шура.

— Работать. Жить. Вовка выплачивает денежное пособие, а сам свободен, как ветер. А я тоже хочу быть свободна и не смотреть на часы. Мне надо жизнь выстраивать с нуля.

— Значит, Алик — усатый нянь? — спросила Шура.

— А что особенного? Мальчику нужен мужчина.

— Соглашайтесь! — постановила Шура.

— Питание, проживание и зарплата, — перечислила Римма.

Алик моргал глазами. Его судьба подпрыгнула, перевернулась, сделала сальто-мортале. И встала на ноги.

— Можно попробовать... — неуверенно согласился он.

Шура разлила шампанское по бокалам. Включила магнитофон. Потекла музыка. Танго.

— Белый танец! — объявила Шура.

Римма встала и пригласила Алика. И тут случилось маленькое чудо. Алик танцевал очень хорошо и заковыристо. Он ловко опрокидывал Римму на руку, и его рука под спиной была сильная, устойчивая. Потом он слегка подкидывал

Римму и припечатывал ее к своему плечу. И плечо тоже было твердое, как литое. На такое плечо не страшно опереться.

Жизнь вставала на рельсы. Худо-бедно, да вывезет. А может, и не худо-бедно. Главное — объединиться и противостоять.

Вечером Римма привела Кольку и куда-то смылась. Алик, Шура и мальчик остались втроем. Смотрели телевизор. Обменивались впечатлениями. «СО» вернулось в дом после долгого отсутствия. И казалось, что это не трое сирот: вдова, брошенный ребенок и король Лир, а полноценная семья — встретились и воссоединились после долгой разлуки.

Коррида

— Внимание! Мотор! Начали!

Сережа Кириллов пошел по дороге, как идет пьяный человек. Не актер, играющий пьяного. А именно пьяный: с напряженной спиной, неточными ногами.

Аникеев подумал, что Сережа успел где-то выпить с утра или не протрезвел с вечера. Это не имело значения. Шел он замечательно, и в душе Аникеева зажглись радость, веселая сосредоточенность и азарт. Должно быть, похожее чувство испытывает гончая собака, верно идущая по следу.

Аникеев махнул рукой. Ярко-красный «жигуль» хорошо взял с места. Хорошо пошел... Сейчас должен быть Сережин прыжок. Сережа должен отскочить как от удара. «Жигуль» должен проехать, не останавливаясь... Скрежет тормозов... Сережа отскакивает, но почему-то не в сторону, а

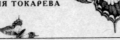

вперед. Падает. Лежит лицом вниз, припав щекой к дороге. Лежит хорошо, не как актер, играющий аварию, а как сбитый машиной человек. Но почему машина остановилась? Она должна идти дальше и не сбавлять скорость... А машина стоит, и шофер положил голову на руль. Отдохнуть, что ли, решил?

Аникеев стоял, ничего не понимая, и вдруг почувствовал: что-то непостижимое разлилось в воздухе. И птицы отлетели. Он растерянно обернулся. Съемочная группа застыла — каждый в своей позе, со своим выражением лица, будто в детской игре «замри-отомри». Через мгновение все задвигалось, устремилось к дороге.

Аникеев протолкался сквозь спины, плечи.

Сережа лежал расслабившись, как во время йоговской гимнастики. И по тому, как покорно прислонился лицом к дороге, чувствовалось — это не человек. Это тело.

Районная больница выглядела неубедительно. Но хирург, молодой и серьезный, производил впечатление. А даже если бы и плохое... Выхода не было.

Сидели на деревянной лавке в закутке, где принимают передачи. Съемочная группа разбилась на маленькие группки, жались, как козы. Лица у всех были разнесчастные. Сережу любили. А даже если бы и не любили...

Аникеев подумал: хорошо, что сейчас нет Сережиной жены Светланы. Она бы учинила самосуд и всех истребила без суда и следствия: сначала шофера Пашу Приходько, потом бы его, Аникеева, а потом сама бы повесилась на крюке. А может, плохо, что Светланы нет. Она не разрешила бы Сереже пить. Или не разрешила сниматься пьяным. И все было бы сейчас по-другому: отсняли бы финальную сцену. И самые первые кадры — те, что идут до титров.

Сережа не взял Светлану в экспедицию, потому что хотел отдохнуть от ее любви и сильного характера. Светлана — профессиональная жена. У нее нет другой профессии и другого призвания, кроме Сережи. И если бы Сережа, например, стал непьющий, нормальный, положительный товарищ — Светлане просто нечего было бы делать на своей должности. И очень может быть, она бы с нее ушла.

Таких женщин Лилька называет крестоносцы, и удивительно, как эти крестоносцы находят свои кресты.

Время тянулось настолько медленно, что практически не двигалось. Оно остановилось и стояло в этой деревянной больничке, пропахшей старым хлебом.

Можно было обо всем подумать. Аникеев сидел и думал беспорядочно то об одном, то о другом. О том, например, что если его посадят в тюрьму, то Лилька будет ждать и Славку воспитывать правильно. А может, даже отдаст Славку старикам и сама припрется на поселение. Будет околачиваться за колючей проволокой с несчастным лицом, чтобы Аникеев наглядно видел, что она его любит и страдает. А ему было бы легче? Ну конечно...

Потом стал думать: посадить, конечно, не посадят, потому что виноват актер. Все было рассчитано. Техника безопасности соблюдена. Машина должна была пройти на полметра позади Сережи. Сережа должен был отскочить, но он не отскочил и, более того, нарушил эти пятьдесят сантиметров. Не дал дорогу машине. Так что посадить не посадят, но могут лишить права постановки. Все-таки человеческая жизнь есть жизнь, и нельзя сделать вид, что ничего не случилось. Нужно кого-то наказать. Да и Светлана за этим делом проследит, можно не сомневаться.

Лишиться права постановки и сесть в тюрьму для Аникеева было примерно одно и то же. Он не умел жить вне работы и, где проводить свое свободное время — в кругу семьи или на лесоповале, — ему было почти все равно. По-настоящему он любил только вымышленный мир, который сам придумал, сам записывал на бумаге, а потом снимал на пленку, а потом монтировал в фильм. А потом, в срок сдачи, он надевал строгий костюм, белую рубашку с модным галстуком — садился и смотрел. И все. Дальше шли премьеры, банкеты, пресса, кинопанорамы, призы, заграничные поездки, но все это не имело отношения к той, вымышленной жизни, а значит, было неинтересно. Отсняв фильм, Аникеев терял к нему всякий интерес, как к отшумевшей любви, когда смотришь и не понимаешь: что ты раньше здесь находил? Он уже заболел новым замыслом, и этот новый замысел казался ему самым значительным изо всего, что он делал до сих пор. И единственное, чего Аникеев в этих случаях боялся: умереть раньше, чем закончит работу. Главное — закончить, а потом — хоть потоп! И жизнь он любил только за возможность уйти от нее в свой вымышленный мир. А реальный мир он не любил и побаивался. Реальностью занималась Лилька.

Зачем гончая идет по следу? Не затем же, что ей, собаке, так уж нужен заяц. Она обойдется и без зайца. И не для хозяина, то есть, конечно, для хозяина. В большей степени для него. Но в основном потому, что гончая собака — это

гончая. И никакая другая. И ее назначение — природа, погоня, ошеломляюще острый нюх — стихия катастрофических
запахов и тот единственный, различимый среди всех, застав-
ляющий настигнуть. Победить. И принести хозяину. И когда гончая возвращается домой, в свою конуру или на под-
стилку в доме, туда, где она живет, то остаток дня она прово-
дит как обыкновенная собака — дворняга или болонка. И
она пережидает этот кусок времени, чтобы дождаться следующего рассвета, когда снова лес, и след, и ощущение, которого не знает ни одна собака.

Так и Аникеев. Вне работы он скучал, перемогался, был
занудливым, не любил застолья. Ну, сядешь за рюмкой. Ну,
выслушаешь чью-то точку зрения по поводу чего-то. Ну, из-
ложишь свою точку зрения, которая может совпадать с мне-
нием предыдущего оратора, а может быть противополож-
ной. Ну, даже если поспоришь и в ссоре родишь истину. Ну
и что? Что это за истина? И что изменится в мире, оттого что
ты на нее набрел?

Надоело говорить, и спорить, и любить усталые глаза. То
ли дело сделать в воздухе жест, одной кистью, как фокусник —
и на развернутой ладони твои герои. Еще жест — куда-то за
ухо, и вот герои уже живут по своим собственным законам и
все время спрашивают: почему? А он, Аникеев, должен за них
думать — почему так, а не по-другому.

Аникеев вывел два собственных закона, по которым он
разрабатывал характеры: математика и интуиция. Характер —
это судьба. А всякая судьба подчиняется математической ло-
гике, и ее можно высчитать. Потому что причины и следствия стоят в строгой зависимости друг от друга и ничего не

бывает «вдруг». Наверняка это открытие уже существует, и какой-то ученый уже имеет патент, но Аникеев дошел до этого открытия самостоятельно, своим умом. Если взять за исходную точку определенный человеческий поступок, то потом можно точно высчитать — чем это кончится для данного характера. Народная мудрость этот закон сформулировала так: что посеешь, то пожнешь. Если бы этой пословицы не существовало в фольклоре, Аникеев дошел бы до нее своим умом и именно так бы ее и сформулировал.

Математика — это то, что можно объяснить. А интуиция — это то, чего объяснить нельзя. Пока нельзя. Аникеев предполагал, что интуиция — это тоже математика, но другая, основанная не на цифрах, а на чем-то, что еще не изучено, но наверняка существует в природе и будет со временем обязательно и оформлено в закон.

Например, Аникеев был точно уверен, что с Сережей скоро что-то произойдет. Сережа и математически, и интуитивно шел к своему концу. Отсюда этот взгляд, исполненный трагизма. Плохое слово «исполненный». Но именно исполненный, полный и переполненный тревогой, тоской. Отсюда эта иссушенность, злость, нежная душа. Отсюда эта детская линия рта. Прекрасная игра. Он играл, перевоплощался как никогда, всею силой своего таланта — и это тоже было как перекаливание лампы перед концом.

А как его любили женщины... Когда встречали эти глаза, этот рот — всем, даже самым гордым и порядочным женщинам хотелось прижать к себе, притиснуть руками, обшептать растерянное лицо: «Тихо, тихо, успокойся, все будет хорошо...» И прижимали. И шептали. И он слушал, а

потом уходил. Просачивался, как песок сквозь пальцы. Только что был. И нет. Плевать ему на этих женщин, на их надежды. И на себя в том числе. Он болел равнодушием. А теперь вот гибнет — и плевать ему на то, что мог бы пожить еще сорок лет. И на картину плевать. И на Аникеева.

Природе не безразлично — поэтому, когда он упал, что-то непостижимое разлилось в воздухе. И птицы отлетели. А Сережа припал щекой к дороге и отдыхает. Ото всех и ото вся. Лежит себе без сознания и ничего не осознает: ни боли, ни ответственности.

А как быть с картиной? Что делать дальше? Искать другого актера и переснимать весь материал? Или доснять то, что осталось, с дублером? Натурные съемки на реке можно снять с дублером. Найти такую же тощую фигуру, посадить в лодку — и все дела. Но павильон... Крупные планы. Нужны Сережины глаза. А где их взять...

Может быть, законсервировать картину, скажем на год, и подождать Сережу, если он останется жив. Но что будет через год? Через год Аникеев может не захотеть вернуться к этой картине. Он может стать другим, и то, что занимает его сегодня, через год может показаться полной белибердой. Мурой собачьей. А может, через год Лилька бросит или усталость грянет в сердце. А снимать с усталым сердцем — все равно что идти по следу с насморком. Гончая бежит и ничего не слышит. Бежит, только чтобы видели, что она бежит. Нет. Откладывать нельзя. И если его не лишат права постановки, надо будет заменить Сережу другим. Но другой — это другой. Другая картина.

...Что было вначале? Водка или равнодушие? Что причи-

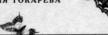

на, а что следствие? Понимая все, Аникеев понимал и то, что Сережа не может не пить. Водка бросала его оземь и ниже — в преисподнюю. А творчество возносило как угодно высоко. К самым звездам. И только в выси понимаешь, как тянет преисподняя. И только в преисподней знаешь, как зо́вут звезды. Вот эти расстояния — от самого дна до космоса — были необходимы его душе, и только они спасали от равнодушия. И не спасли. А сейчас поднимется хипеж, дойдет до начальства, начнут разбираться, ставить «классические вопросы»: «кто виноват?» да «что делать?».

Математика и интуиция. Вот и все. Что посеешь, то пожнешь.

Ассистентка по актерам Зина сбегала в магазин и принесла килограмм пошехонского сыра и серый хлеб. Хлеб был свежий, с хрустящей коркой, какого-то особого помола. Такого не было в Москве.

Аникеев взял в руки кусок хлеба, хотел откусить, но не мог. Не кусалось и не глоталось.

Перед глазами все время, как навязчивый рефрен, прокручивается мгновение, когда Сережа летит и падает. Летит довольно нелепо. И падает очень тяжело. Если бы вместо Сережи был каскадер, как планировали накануне съемок, то каскадер отскочил и упал бы ловко и даже красиво, как цирка́ч. А правда — это правда.

Аникеев вдруг вспомнил, что оператор стрекотал камерой до тех пор, пока все не побежали к дороге. Значит, он снял гибель Сережи, и этот документальный кусок можно будет использовать в картине. А поскольку сцена гибели героя — финальная сцена, то конец получится сильный. То

смятение, соучастие в несчастье, которое заставило людей застыть, а птиц отлететь, передалось и на пленку. А значит, достанет зрителей. Кино окончится, свет зажгут, а зал все будет сидеть, как в детской игре «замри». Потом в конце концов выйдут на улицу, на свежий воздух, а все равно будут двигаться, как сомнамбулы. Чужое горе будет держать за шиворот.

Надо будет посмотреть материал, и если нет брака в пленке, то конец — есть. А это — полдела. Как говорил мастер в институте: «Конец — делу венец». Еще мастер говорил: «Сюжет. Учтите, самое главное — сюжет. Зритель идет не на актеров, а на историю. Актер ничего не сможет сделать, если нет истории. Если вы хотите проверить, готов сюжет или нет, посадите кого-нибудь перед собой, все равно кого, и расскажите ему фильм в двух словах. Если расскажется и будет интересно, значит, сюжет готов. Если начнете мекать, пекать и объяснять — значит, не додумано. Думайте дальше...»

Многое из того, чему учили во ВГИКе, не пригодилось. Но этот мастерский совет Аникеев проверил не раз на собственной шкуре и на опыте других. Он убедился: любое отвлечение от сюжета — философское, эстетическое, эмоциональное, какой угодно поток сознания, всплески гения — все это возможно лишь внутри жестко сколоченного сюжета. Любые, самые бескрайние воды должны иметь свои берега, а иначе — всемирный потоп. Иначе — провал.

Провалиться легко. А восстановить свое имя — практически невозможно. Будут говорить: «Какой Аникеев?» «А-а-а... Это тот...» И дальше следует мимика и жест, означающий недоверие. Больше всего на свете Аникеев боялся эпидемии недоверия. Боялся провала. Тогда придется ходить с прямой спиной, гордо вскинутой головой: не просто Алеша Аникеев — два Алеши, пять Алеш, местный миллионер Алеша — чтобы другие не догадались, что он и сам в себя не верит, что его практически больше нет.

Провалиться для Аникеева — это значит умереть душой, той частью, где живет интуиция. И тогда уже гончая — это не гончая, а просто биологическая особь на четырех лапах, с хвостом и зачем-то длинными ушами.

Аникеев боялся провалиться каждый раз, и каждый раз ему казалось, что это уже происходит, и каждый раз он недоумевал, когда картина все-таки удавалась. Примерно похожее недоумение он испытывал, глядя на Славку. Он не понимал, что этот самостоятельный пятилетний человек с руками, ногами и головой отпочковался от него, является его частью, так же ходит и так же плачет.

— Зина! — окликнул Аникеев.

Ассистентка по актерам Зина поднялась с лавки и подошла к Аникееву. Она была похожа на французскую певицу Мирей Матье, но похуже — без успеха и без нарядов.

— Давай выйдем, — попросил Аникеев.

Вышли из больницы.

Аникеев прищурился от обилия света и предметов. Избы, куры, мужики в черных кепках и темных пиджаках — жилистые и нетрезвые. Бабы во фланелевых халатах, как в плащах. Это была их верхняя одежда. Небо и земля, голубое и зеленое навязчиво лезло в глаза.

— Что? — спросила Зина.

— Я тебе сейчас сюжет расскажу, в двух словах. А ты послушай и скажи: где скучно?

— Какой сюжет? — не поняла Зина.

— Наш сценарий.

— Так я ж его знаю. Я ж его читала сорок раз.

— Еще бы ты его не читала... Ты меня не понимаешь. Я расскажу тебе очень коротко. Конспект. Мне надо проверить на слух некоторые вещи.

— Сейчас? — не поверила Зина.

— Сейчас.

Зина посмотрела Аникееву в глаза и увидела, что он уже работает и остановить его невозможно. Это все равно что ставить спичечный коробок на ходу пассажирского поезда.

— Жестокий мир, жестокие сердца... — проговорила Зина, как бы извиняясь перед собой. — Ну давайте.

— Значит, так. Я буду рассказывать, а ты, если что-то непонятно, спрашивай: «Почему?» Договорились?

— Договорились.

Мастер из ВГИКа все время учил спрашивать себя и героев: «Почему?» Должно быть точное обоснование — почему так, а не по-другому, потому что там, где нарушается «почему» — нарушается правда, а если нарушается правда — то это начало провала.

— Я слушаю, — приготовилась Зина.

— Герой, инженер тридцати пяти лет, летом в воскресенье возвращается с родительского дня. Был у ребенка в лагере. Вечером едет обратно.

— Почему? — спросила Зина.

— Что «почему»?

— Вы велели спрашивать: «Почему?»

— Я велел спрашивать там, где непонятно. А не вообще спрашивать.

— Я не поняла, — извинилась Зина и вцепилась в Аникеева внимательными зрачками.

— Смеркается. Пустынное шоссе. Откуда-то из мрака возникает движущийся предмет. Герой не успевает ни свернуть, ни притормозить. Сбивает человека и едет дальше.

— Почему?

— Растерялся. Испугался. Драматический шок.

— Понятно.

— Это понятно? — проверил Аникеев.

— Так может быть. Я бы тоже испугалась.

— Дальше... — Аникеев вдохновился Зининой поддержкой. — Возвращается домой. Ложится спать с женой и всю ночь боится, что за ним придут.

Зина кивнула.

— Утром он идет на работу и весь день боится, что за ним придут.

Зина торопливо сморгнула несколько раз. Глаза устали от внимания.

— После работы герой домой не вернулся. Пошел к Тамаре — сотруднице из отдела. Наврал с три короба про любовь и остался у нее.

— Почему?

— А куда он денется? Ему же надо где-то прятаться.

— А Тамара его любила?

— Она его очень любила.

— А он ее любил?

— Он ее совершенно не любил. Он любил свою жену.

— Почему?

— Что «почему»? Потому что одних любишь, а других нет. Это же избирательное чувство.

— Понятно... — Зина почему-то стала смотреть в землю.

Аникеев заподозрил, что у нее свои «почему» и в этом сюжете она выясняет что-то для себя лично.

— Интересно? — спросил Аникеев.

— Да. Конечно, — спокойно сказала Зина, и чувствовалось, что она проецирует историю на свою жизнь. Это хороший признак. — А дальше?

— Дальше — как в математике. Трусость порождает ложь. Ложь порождает другую ложь. Другая ложь — подлость. Нравственные ценности девальвируются. Герой бросает Тамару и бежит из Москвы, забивается куда-то в середину страны, в глухую деревеньку, забытую Богом и людьми. Нанимается работать бакенщиком. Сидит ночью в лодке посреди реки. А днем спит. В сущности, прячется, как зверь.

— С ума сойти... — посочувствовала Зина.

— Вот именно. А ночью — один. Только вода да небо со звездами отражаются в реке. И вот сидит он среди звезд, делать нечего — думай сколько хочешь. Осмысляй.

— Почему?

— Человеку свойственно думать и осмыслять свою жизнь. А думать больно. Он стал брать в лодку самогон, чтобы глушить себя. Чтобы не думать и не осмыслять.

— Понятно, — согласилась Зина.

— Понятно? — переспросил Аникеев.

— Ну конечно.

— И вот однажды он возвращается домой на рассвете. Под самогоном. Выходит на шоссе. Плетется, как движущийся предмет. Его сбивает какая-то машина, «Жигули» красного цвета. И уходит.

— Коррида, — задумчиво проговорила Зина.

Аникеев нахмурился. Не понял.

— Красный цвет в автомагазине называется «коррида».

— При чем тут «коррида»? Тебе было интересно?

— Очень интересно, — удрученно сказала Зина. Когда ей что-то нравилось, она не ликовала, а уставала. Аникеев знал эту ее черту.

— А понятно про что?

— Конечно, понятно. Человек и совесть.

Аникеев уперся глазами в пространство и вдруг сказал:

— А что, если фильм назвать «Коррида»?

— Коррида — это бой быков.

— Ну и что? Здесь тоже бой быков: поступки и возмездие.

Из больницы выскочил директор и энергично махнул рукой.

Зина и Аникеев устремились обратно.

Посреди предбанника стоял хирург.

— Перелом основания черепа, — сказал хирург.

Аникеев смотрел на него не спуская глаз, и хирург не мог повернуться и уйти.

— Бывает, что живут, — неопределенно сказал он. — У моего отца во время войны был перелом основания черепа. Он упал с самолета.

— С неба? — спросил помреж.

— Ну а откуда же? — удивился хирург. — Конечно, с неба.

— А сейчас? — спросила Зина.

— Директором института работает.

«Директор института, — почему-то подумал Аникеев. — А сына не мог в Москве устроить...»

Аникеев не умел сразу выключиться из работы и какое-то время, глядя на хирурга, думал о том, что сюжет рассказался и никаких провисаний не было. Кроме одного места. Он помнил все время, но забыл. Надо обязательно вспомнить... А! Вот! Вспомнил...

Аникеев повернулся к Зине:

— А как ты думаешь, кого он сбил в первый раз?

— Кто? — шепотом спросила Зина.

— Герой. Когда он ехал из пионерского лагеря. Кого он сбил? Пьяного? Или десятиклассницу? Или старуху?

— Я не могу сейчас думать об этом. И пожалуйста, не спрашивайте больше ни у кого.

— Извини... Но мне кажется, он должен сбить кого-то нейтрального.

— Козу.

— Козу? — Аникеев помолчал. — Ну, это глупости. Зритель просто обидится.

— А сколько он будет лежать? — тихо спросила костюмерша Оля.

— Пока что я не знаю, будет ли он жить, — ответил хирург.

Стало тихо, будто камнем придавило. На Олином лице всплыла растерянная улыбка, которая читалась как гримаса.

Аникеев почувствовал, почти физически, как весь белый свет сошелся клином на лице хирурга, на этой маленькой больнице. Было невероятно осознать, что за стенами есть еще какая-то другая жизнь. Есть леса и квадраты полей, дома, звери, люди, голубое и зеленое, и палевые ромашки, которые так долго не вянут, если их поставить в банку.

Хирург ушел.

Все остались стоять, погруженные в оцепенение. Каждый мысленно вернулся в ту проклятую роковую секунду, которая расколола Сережину жизнь на две части: «до» и «после». И каждый чувствовал себя виноватым.

Оператор стоял, сцепив за спиной руки. У него было такое лицо, будто несчастье случилось с его собственным сыном и будто его сын, а не Сережа лежит сейчас с переломом основания черепа.

Актриса Тамара, играющая Тамару, подошла к оператору (Аникеев всегда называл героев картины именами актеров, чтобы актерам было легче отождествлять себя с героями). Тамара и оператор поссорились неделю назад и с тех пор не разговаривали. Каждый выдерживал характер. Но сейчас Тамара решила больше не проявлять характер, вернее, проявить другой характер — женственный и благородный, и в этом новом качестве подошла к оператору и постучала пальцем о его палец. Оператор обернулся, увидел Тамару и тотчас отвернулся обратно с несколько обиженным лицом, дескать, я переживаю, а ты мне мешаешь. Потом вспомнил, что все-таки они с Тамарой в ссоре и Тамара преодолела себя, охраняя его мужское самолюбие, и он должен это оценить. Оператор снова повернулся к Тамаре, посмотрел на нее проникновенным, но строгим взглядом, как бы говоря: «Я все понял. Но это потом. Сейчас я переживаю. Всему свое время...»

Славка Аникеев прогрохотал по булыжной дороге на двухколесном велосипеде. Он несся наперегонки с соседским Виталиком и был настолько занят своим делом, что не заметил отца.

Аникеев смотрел, как Славка перегнулся через руль, будто хотел обогнать сам себя. Подумал: «Тщеславный. В меня». И ему стало жаль сына. Тяжело всю жизнь выжимать педали, прорываться на крупный план. Но и в массовке тоже тяжело. Только по-другому. Там устаешь от впечатлений, тут устаешь без впечатлений. А в общем, количество плюсов и минусов одинаково в любой жизни.

Аникеев подошел к своему дому.

Съемочная группа разместилась в Доме колхозника, а Аникеев с семьей снимал комнату в деревянной избе у одинокой старухи бабы Пани. Лильке казалось вначале, что баба Паня жадная, пока она не сообразила, что баба Паня бедная и ее внимание к деньгам исходит из ее доходов.

Перед домом росло дерево черноплодной рябины. Лилька варила из нее кисель, и рты у всех были синие.

Аникеев вошел за калитку. Первой его встречала собака Жулька. Она выбегала и не лаяла, поскольку была сдержанной собакой. Но мотала хвостом с таким энтузиазмом, что Аникеев всякий раз боялся: хвост в конце концов оторвется от основания и улетит на крышу. Так было всегда. Так было и сегодня.

Потом в доме его встречала Лилька. Глаза ее радостно светились, как у Жульки. И если бы у людей были хвосты, то Лилька махала бы хвостом с таким же неимоверным восторгом.

— Здорово, гуталин! — Лилька обняла Аникеева и поцеловала его лицо — мелко, поверхностно, будто обнюхала. На ней было странноватое платье-балахон, итальянское, из магазина «Фьеруччи». Он называл ее «чучело-фьеручело».

— Почему «гуталин»? — устало удивился Аникеев.

— Потому что «гуталинчик, на носу горячий блинчик, очень кислая капуста, очень сладкий пирожок».

Лилька относилась к Аникееву, как к Славке, и время от времени разговаривала с ним на детском тарабарском языке, отчего в доме становилось тепло и счастливо.

Лилька снова обняла Аникеева. Ему вдруг захотелось на ней повиснуть и больше не двигаться. Не производить никаких движений — ни ногами, ни мозгами.

— Не зови меня «гуталин», — попросил Аникеев.

— Почему?

— В детстве у нас на углу сидел чистильщик. Айсор. Мы дразнили его «гуталин».

Лилька улыбнулась, и ее лицо сделалось похожим на зайца в мультфильме, та же радостная готовность к радости, раскосые глаза и расщелина между передними зубами.

— Сережа себе шею сломал, — сказал Аникеев, садясь за стол.

На столе уже стояла тарелка с борщом. Пахло грибами. У Лильки была манера: во все, что она готовила, класть сушеные белые грибы, кроме киселя, конечно. Есть не хотелось, но общая муторность подсказывала, что поесть надо.

— Перелом основания черепа. Бывает, что живут, — повторил он слова хирурга.

Лилька медленно осела на диван. Глаза ее стали увеличиваться, и казалось, сейчас выскочат из орбит, упадут на колени.

— Как? — выдохнула Лилька.

— Так. Под машину попал на съемке. Пьяный был. Как будто нарочно себя под машину подставил.

— А Светлана?

— Что Светлана? Вызвали телеграммой. Перелом-то не у Светланы.

Лилька смотрела не мигая. Бледная до зелени, с синими губами, она походила на покойника.

— Это какой-то тихий-претихий ужас... — сказал Аникеев. — Черт знает что... И погода установилась. То две недели шли дожди, все чуть-чуть не спились от безделья. А теперь устойчивое солнце — и вот, пожалуйста. Что делать — просто не представляю! Менять актера — значит все переснимать. А три четверти сметы израсходовано. Кто деньги даст? Никто не даст. Горчица есть? Хорошо, если еще в тюрьму не посадят...

Суп в тарелке обмелел. На дне лежал кусок мяса величиной с кулак.

Лилька поднялась, как сомнамбула, принесла горчицу, в которую она тоже добавляла сушеные грибы, измельченные в порошок.

— Завтра вызову сценариста. Пусть приедет. Пока суд да дело, надо будет сценарий исправить. Правда, у него сейчас обмен квартиры. Ну ничего, перебьется. Может быть, действительно козу, черт его знает... А с другой стороны — он прячется, страдает, гибнет — из-за козы. Глупость какая-то... Как ты думаешь?

— Что? — не сразу поняла Лилька.

— Кого он сбивает: человека или козу?

— Кто?

— Герой. Ты что, глухая? Когда он едет из пионерского лагеря, с родительского дня, он сбивает движущийся предмет. Помнишь? Она могла быть коза, скажем, по кличке Ромео.

— Коза женского рода. Джульетта. — Лилькины губы двигались медленно, будто замерзли.

— Но ведь хозяйка Шекспира не читает... Ты помнишь, если он сбивает пьяного, то получается, что он сбивает как бы себя будущего. Получается кольцо. Сюжет замкнулся. Это и хорошо и плохо. Хорошо, потому что действие идет по спирали. А плохо, потому что в каждой кольцовке есть какая-то формальность... Черт его знает... Надо подумать. А сколько весит коза? Шестьдесят килограммов?

— Не знаю.

— Нет. Шестьдесят — это ты. Это как свинья. Коза меньше. Килограммов тридцать. Надо у бабы Пани спросить. Баба Паня! — громко позвал Аникеев.

Старуха не отозвалась. Аникеев встал и пошел во двор. Он подумал, что в конце сюжета можно придумать заявление в милицию. Одно только заявление от какой-то бабы Пани, которая требует, чтобы ей возместили стоимость убитой козы из расчета два рубля за килограмм. На базаре стоит четыре, но она это в расчет не берет.

Бабы Пани во дворе не оказалось. Аникеев вернулся в дом. Когда он вернулся — увидел, что Лилька стоит в джинсах и куртке, а балахон-«фьеручелу» засовывает в джинсовый рюкзак. Туда же она сунула махровый халат и тапки.

— Ты куда? — удивился Аникеев. — В баню?

— Я от тебя ухожу.

— Куда ты уходишь?

— Насовсем. Вообще.

Аникеев опустился на диван. Он вдруг почувствовал, что устал. Как говорил Сережа: «Я устал конечно». Конечно — в смысле окончательно. До конца. Он ощущал свой тяжелый затылок и понимал, что не выдержит сегодня еще одной нервной перегрузки. Надо взять себя в руки и нейтрализовать взбесившуюся Лильку любыми средствами.

Аникеев смотрел некоторое время, как она мечется по комнате, давясь отчаянием. Спросил спокойно:

— Что произошло?

— Ты не понимаешь?

— Нет. Я ничего не понимаю.

Лилька вытаращила на него глаза, набитые злостью и слезами:

— С Сережей несчастье. Это Сережа... Твой товарищ... Твой помощник... Твой коллега... А ты про козу Ромео! Мне с тобой страшно! Я тебя боюсь!

— Так. Теперь понятно, — спокойно констатировал Аникеев. — Помнишь, ты была беременна Славкой? Ты все время хотела спать. Помнишь?

— При чем тут...

— А при том, — перебил Аникеев. — Твой организм интуитивно оберегал плод и требовал отдыха нервной системе. Поэтому ты хотела спать. Понимаешь? А фильм — это мое духовное дитя. И у меня тоже свой защитный механизм. Невозможно учитывать все и вся. Надо учитывать только фильм.

— А когда Славка родился, ты не приехал. За мной пришли совершенно посторонние люди и принесли какое-то старое одеяло. Мне было стыдно людям в глаза смотреть.

Лилька заплакала.

Она впервые заговорила об этом. Аникеев понял, что Лильке главное сейчас не выслушать и понять, а сказать самой. Помириться будет трудно, но помириться надо, иначе ссора застрянет в мозгу и будет отвлекать от работы.

— Я был тогда на Северном полюсе. Я снимал. Ты же знаешь.

Лилька затрясла головой, волосы встали дыбом.

—Самарин должен был играть дистрофика, а он все время жрал. Если бы я уехал, он бы тут же и нажрался. Дистрофик с круглой рожей.

— Я чуть не умерла...

— Не преувеличивай.

— Если бы сегодня не Сережа, а я сломала себе шею, ты не отменил бы съемку! Не отменил бы? Ну, скажи!

— Не отменил бы.

— Ну вот!

Лилька закусила губу и затряслась так, что запрыгали плечи.

Аникеев устал и не мог сосредоточиться, поэтому разговор шел стихийно и не туда.

— Лиля, помнишь, когда мы ждали Славку, ты все время боялась, что у нас родится уродец с врожденным дефектом? С заячьей губой и волчьей пастью? Помнишь? Вот так и я все время боюсь, что мой фильм будет — кикимора. Знаешь, что такое кикимора? Это мертворожденное дитя.

Лилька на секунду перестала рыдать, вытаращила глаза. Она думала, что кикимора — это худая злая старуха.

— Понимаешь, вроде бы все есть: руки, ноги, голова — все как положено. Только сердце не бьется.

— Что ты сравниваешь...

— Лиля, умоляю тебя. Пойми, — взмолился Аникеев. — Ты должна помогать мне, а не терзать меня. Ты должна думать так же, как и я. А иначе...

— Я не могу думать так же, как и ты. И не хочу. И не умею. И презираю!

— Я прошу тебя, давай перенесем этот диспут на завтра, — сухо сказал Аникеев, раздражаясь. — Я сегодня не могу. Я устал конечно!

— Ты! Ты! Опять ты! А Сережа?

— Что Сережа? Что Сережа? Думаешь, почему он отказался от каскадера? Из-за водки! Из-за денег! Чтобы получить деньги и обменять их на водку!

— Даже если и так! Но сейчас ему плохо. Его расплата больше, чем его вина! Может быть, он умирает в эту секунду! Должно же быть хоть какое-то уважение к жизни! Хоть какая-то доброта!

— Мы с тобой по-разному понимаем это слово.

— Доброта — это отказ от себя! А ты — эгоист!

— Да. Я эгоист. Но мой эгоизм — это и есть моя доброта.

— Для тебя главное — престиж! Престиж — это твоя власть! Твое господство над другими. И ты боишься провалиться, потому что боишься потерять власть. И ради этого ты способен стрелять в зайца!

— В какого зайца?

— Во французском кино! Там зайца привязали за ногу, а потом в него выстрелили и стали снимать крупным планом. И он бился и умирал. Как настоящий!

— При чем тут я!

— При том! Есть правда режиссера. А есть правда зайца!

— А есть правда зрителя, — сухо, бесцветно проговорил Аникеев, чувствуя, что заводится и сейчас что-то будет. Он уже мало контролировал себя.

— Правильно! — обрадовалась Лилька. — Все для тети Мани в третьем ряду. И я. И Славка. И Сережа. Все для нее!

— И я тоже. Ты меня забыла. Я живу для тети Мани в третьем ряду.

— Тогда скажи, зачем я плачу так дорого? Мне могло бы это все стоить как другим — две копейки в месяц!

— Какие две копейки? — Аникеев нахмурился, не понимая.

— Ты снимаешь фильм в два года, в двадцать четыре месяца. Билет стоит пятьдесят копеек. Пятьдесят копеек разделить на двадцать четыре — вот тебе и будет две копейки.

— Действительно, две копейки...

— И за две копейки я получаю с экрана все лучшее, что есть в тебе. А я плачу всем своим существом! И жру все это дерьмо! Меня тошнит! Мне иногда хочется вытошнить собственное сердце!

— Лиля, опомнись! — предупредил Аникеев. — Ты подавишься своими словами. Ты будешь жалеть...

— Что Лиля? Что Лиля? У нас никогда никого не бывает. Ты это заметил? К нам никто не хочет ходить, потому что люди тебе неинтересны. Ты прячешься в свои вонючие сценарии, как улитка в раковину. Только хвост торчит. Потому что ты боишься жизни!

— А что в ней хорошего, в твоей жизни?

— Доброта! Возлюби ближнего, как самого себя. Тебе не понять!

— Ты возлюбила бабу Паню и даришь ей резиновые сапоги и начатые французские духи и думаешь, что это — доброта. Ты тешишь себя. Тебе нравится, чтобы тебе говорили «спасибо» и смотрели на тебя с обожанием. А что ты можешь переменить? Твоя доброта — как сухие грибы, которые ты везде суешь, чтобы отбить естественный дух. Чтобы мясо — как грибы. И хлеб — как грибы. И горчица — как грибы. Сеятель.

— Зато я не стреляю в зайца!

— И я не стреляю в зайца.

— А я уверена, даю голову на отсечение, что ты снял гибель Сережи и уже прикидываешь, как это вставить в свой фильм. Ну что? Не так?

Аникеев молчал. Он не мог сказать «так» и не мог сказать «не так».

— Ну, что же ты молчишь?

Аникеев почувствовал, как голове вдруг стало жарко, глаза опалило горячим туманом. Он успел сообразить, что сейчас произведет три движения: поднимет стул и даст по стеклу, чтобы стекла наружу, потом по Лильке, а там — что будет.

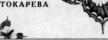

— Что же ты молчишь?

Аникеев широко шагнул к Лильке, схватил ее руками за плечи, крупно тряхнул. Ее зубы клацнули. Она смотрела прямо в глаза Аникееву, и в ее лице проступили беспомощность и упрямство. Славкино выражение, когда он готов был умереть, но не уступить. Аникеев вдруг неожиданно для себя прижал к себе ее голову, стал целовать волосы. От них тонко и горьковато пахло духами, которые Аникеев принимал за ее собственный запах. Он поднял ладошками ее лицо, стал целовать глаза. Из-под век бежали теплые слезы. Он целовал ее слезы и синие губы — все, что в ней было ее, и все, что Славкино. Он прижимал, прятал ее в себе и прятался сам. Искал защиты. Ему так нужно было, чтобы Лилька защитила его ото всех и от себя самого. Разве он сам не раб своей жизни? Своего таланта? Своего эгоизма? А защита его в Лилькиной любви. Это его защита и его топливо.

— Лилька, ты любишь меня? — прошептал он беспомощно, как нищий. Как собака, подставляющая в драке горло.

Она открыла глаза и смотрела не мигая, втягивая его глаза в свои. Затихла, как заяц.

Шесть лет назад Аникеев сидел в просмотровом зале, смотрел материал. И в это время отворилась дверь, и в зал вошла незнакомая женщина. Это было против правил, и Аникеев хотел сделать замечание. Но почему-то промолчал. Через минуту он почувствовал, что готов прекратить просмотр, встать и пойти за ней босиком по следу. На любое расстояние. Потом свет зажегся. Аникеев увидел Лильку и

отчетливо понял: его десятилетний поиск женщины завершен. Она будет его женой.

Он скучал по Лильке постоянно, и сейчас, обнимая ее и вдыхая, он скучал по ней.

Аникеев подхватил Лильку под коленки и под лопатки, поднял, крякнул.

— Не надо... — испугалась Лилька. — Я тяжелая. Как свинья. Пятьдесят килограммов.

Она засмеялась и стала еще тяжелее. В этот момент в дверь забарабанил Славка, и по тому, как он стучал, было ясно — Славка обогнал соперника.

За окном стало светать, но петухи еще не кричали. Славка сопел на диване, как насос. Он спал очень серьезно. Аникеев тоже спал на Лилькиной руке и время от времени скрежетал зубами. Вчерашний день выходил из него. Лилька осторожно касалась губами его лба. Он переставал скрежетать. Успокаивался.

Рука затекла, но Лилька боялась ее вытащить, чтобы не разбудить мужа. Она смотрела в потолок и ждала утра. Чтобы скоротать время, думала о своей жизни.

С пятого примерно класса она мечтала вырасти и выйти замуж за талантливого человека — молодого и красивого, любить его и быть любимой, иметь от него сына, носить заграничные платья и душиться французскими духами. Выходить с мужем в общество, и чтобы все на них обращали внимание, завидовали и уважали.

Ее мечта сбылась на сто процентов. Она вышла замуж за талантливого режиссера, довольно молодого и достаточно красивого. Любит его и любима им. Имеет сына Славку. Платья от Кристиана Диора и духи от мадам Роша. У Аникеева безупречная репутация — творческая и человеческая. Им действительно завидуют и действительно уважают. Сбылось все, до последнего штриха. Тогда почему же она плачет в ночи и слезы бегут к ушам? Может быть, потому, что больше ничего не будет и все известно наперед: сейчас — эта картина, потом — другая, потом — третья. Он — при картинах. А она — при нем. Жизнь «при». И смерть будет «при». А как хотелось чего-то еще, где ничего не ясно и нет ничего вымышленного и выдуманного.

Аникеев заскрежетал зубами. Славка перевернулся и что-то торопливо проговорил во сне. Два ее любимых сына. Ее счастье.

Лильку охватило полное одиночество при полном счастье. Она заплакала сильнее, но боялась всхлипывать, чтобы не разбудить мужа. Не прервать его сон, иначе у него будет тяжелая голова. А утро — это начало дня, в котором он должен многое успеть.

На стене в белых рамках под стеклом развешаны гербарии. Высохшие лепестки и стебли были изысканные, как японские гравюры. Это была Сережина затея.

Светлана Кириллова лежала у себя в московской квартире на широкой арабской постели и смотрела на стену. Три часа назад пришла телеграмма из почтового отделения «Ветошки» за подписью директора группы. Светлана смотрела на высохший лист, исписанный прожилками, и четко понимала: если бы Сережа сегодня не попал под машину, то завтра он бы ее бросил. Так или иначе его не было бы в ее жизни. А раз Сережи нет в ее жизни, то какая разница: будет ли он вообще? Может быть, даже лучше так, а не иначе: не будет этих злорадно-сочувственных соболезнований. Не так обидно. Не так оскорбительно. Если он останется жить, то какое-то время она ему будет нужна. А если нет...

У матери была любимая поговорка: «Никогда не держи все яйца в одной корзине...» Светлана мысленно проверила свои корзины — с кем бы она могла устроить свою жизнь? У нее было два возможных жениха. Один на десять лет моложе, другой на десять лет старше. Тот, что моложе, все время говорил слово «вообще». Оно звучало у него «воще». Каждые три секунды «воще», и каждые три секунды его хотелось ударить доской по голове. Он нравился ей ночью и безумно раздражал днем. А тот, что старше, не нравился воще. Зубы у него изъедены болезнью эмали, которая называется «клиновидный дефект». Они имеют рыжий цвет и свисают с десен, как сталактиты и сталагмиты. А вокруг глаз — белые старческие круги, хотя не старый. Нет и пятидесяти. Характер как у раба. Можно держать только под плеткой, а от ласки — наглеет. Приспособленный, сам обед готовит. Жить с ним было бы надежно, но безрадостно. А с «воще» — довольно симпатично, но ненадежно. Через год бросит. Это же очевидно.

В ванной все время капала вода. Неплотно закрыт кран. Светлана поняла, что не заснет из-за этой монотонной навязчивой капели. Встала. Пошла в ванную. Зажгла свет.

Над раковиной висело большое овальное зеркало, и Светлана увидела себя. Увидела, что плачет. Лицо было собрано комками и дрожало. Мятые углы глаз — мокры от слез. Светлана посмотрела как бы со стороны на свое несчастное немолодое лицо и поняла: ее будущее — это одинокая больная старость, а ее настоящее — это холодная сиротская постель. И это единственная правда. «Не могу, — сказала она себе в зеркало. — Не могу, не могу, не могу...» Потом отпустила свои губы и щеки от страдания, разгладила лоб. Жестко сказала: «Могу!» И в зеркале выступило ее обычное лицо — умное и значительное, со следами явной красоты и опытом долгих раздражений.

Костюмерша Оля лежала тихо, как мышка, на железной койке в Доме колхозника. Вчера вечером в комнату подселили очень толстую бабку, которая храпела — это надо уметь.

Оля лежала и слушала, как бабка храпит, и не думала ни о чем. После аварии на съемках с ней что-то произошло: как будто из нее выдернули розетку и выключили все чувства. Она все понимала — что происходит, о чем ее спрашивают. Но не понимала — зачем люди задают вопросы и зачем на них надо отвечать. И почему ее увезли из больницы и она теперь лежит здесь, в Доме колхозника, а не осталась возле Сережи в Ветошках. Может быть, ему сейчас, в данный момент, что-то надо... А может быть, он хочет ей что-то сказать. А все ушли. И она ушла.

Она поднялась. Койка скрипнула. Бабка тут же перестала храпеть. Потом снова захрапела. Оля натянула джинсы и майку, на которой был вышит бисером зверек с большими ушами. Сережа подарил. Привез из Бангладеш.

Оля вышла на улицу. Было тихо. Пустынно. Даже собаки

не лаяли. До больницы было километров тридцать. Оля подумала, что если хорошо идти, то до утра можно добраться. Сердце подошло к горлу. Лоб стал холодный. Захотелось есть. Оля постояла, подождала, пока сердце станет на место, и снова пошла. Она знала, ей рассказали, что тошнить будет четыре с половиной месяца, а потом тошнить перестанет, но зато начнет расти живот. А потом будет ребеночек, ей нагадали — мальчик. Да она и сама знала — будет маленький Сережа, с его глазами, квадратными ладошками, ушами, как пельмени. У нее будет свой собственный Сережа, она прижмет его к себе и никому не отдаст. Вот фига вам. Фигули на рогуле.

Поселок кончился. Дорога пошла полем. Тишина до самого горизонта. Все небо в ярких звездах. Это значило — погода установилась. Теперь дожди пойдут не скоро, а может быть, их не будет больше никогда.

Антон, надень ботинки!

В аэропорту ждал автобус. Елисеев влез со всей своей техникой и устроился на заднем сиденье. Закрыл глаза. В голове стоял гул, как будто толпа собралась на митинг. Общий гул, а поверх голоса. Никакого митинга на самом деле не было, просто пили до четырех утра. И в самолете тоже пили. И вот результат. Жена не любила, когда он уезжал. Она знала, что, оставшись без контроля, Елисеев оттянется на полную катушку. Заведет бабу и будет беспробудно пить. Дома он как-то держался в режиме. Боялся жену. А в командировках нажимал на кнопку и катапультировался в четвертое измерение. Улетал на крыльях ветра.

В автобус заходили участники киногруппы: актеры, гримеры, режиссер, кинооператор. Творцы, создающие ленту, и среднее звено, обслуживающее кинопроцесс.

Экспедиция предполагалась на пять дней. Мужчины брали с собой необходимое, все умещалось в дорожные сумки, даже в портфели. А женщины волокли такие чемоданы, будто переезжали в другое государство на постоянное жительство. Все-таки мужчины и женщины — это совершенно разные биологические особи. Елисеев больше любил женщин. Женщины его понимали. Он мог лежать пьяный, в соплях, а они говорили, что он изысканный, необыкновенный, хрупкий гений. Потом он их не мог вспомнить. Алкоголь стирал память, выпадали целые куски времени. Оставались только фотографии.

Елисеев — фотограф. Но фотограф фотографу рознь. Ему заказывали обложки ведущие западные журналы. И за одну обложку платили столько, сколько здесь за всю жизнь. Елисеев мог бы переехать Туда и быть богатым человеком. Но он не мог Туда и не хотел. Он работал здесь, почти бесплатно. Ему все равно, лишь бы хватало на еду и питье. И лишь бы работать. Останавливать мгновения, которые и в самом деле прекрасны.

Автобус тронулся. Елисеев открыл глаза и стал выбирать себе бабу. Не для мужских игр. Это не суть важно. Ему нужен был кто-то рядом, живой и теплый. Не страсть, а нежность и покой. Уткнуться бы в ее тепло, как в детстве. А она бы шептала: я тут, ничего не бойся... И в самом деле можно не бояться этих голосов. Пусть себе выкрикивают. Можно даже закрыть глаза и заснуть. Бессонница замучила. Женщина была нужна, чтобы заснуть рядом. Одному так жутко... Как перед расстрелом.

В холле гостиницы шло оформление. Селили по двое, но творцы получали отдельные номера.

Гримерша Лена Новожилова к творцам не относилась, но ей дали отдельный номер. Все знали ее ситуацию.

Три месяца назад у Лены умер муж Андрей Новожилов — художник-постановщик. Они прожили вместе почти двадцать лет. Последние пять лет он болел с переменным успехом, а заключительный год лежал в больнице, и она вместе с ним жила в больнице, и этот год превратился в кромешный ад. Андрей все не умирал и не жил. И она вместе с ним не жила и не умирала. И этому не было конца и края.

Потом он все-таки умер. Ждали каждый день, а когда это случилось — вроде внезапно. Лена тогда на метро поехала домой. Она вошла в дом, грохнулась на кровать и проспала тридцать шесть часов. А потом очнулась, надо бежать к Андрею.

А оказывается — уже не надо. И такая взяла тоска... Как угодно, но лучше бы он жил. А его нет. Лена стала погружаться в болотную жижу, состоящую из обрывков времени и воспоминаний. Она погружалась все глубже, тонула. Но позвонили со студии и пригласили на картину. Встала и пошла. И поехала в экспедицию. В Иркутск. Чтобы как-то передвигать руками и ногами. И вот сейчас сидит и ждет свой номер. Тоже занятие.

Подошел Елисеев. Его звали Королевич Елисей. За красоту. Красивый, хоть и пьяница. Пьяница и еврей. Неожиданное сочетание.

— Вам помочь? — спросил Елисей и взял ее чемодан.

Лена получила свой ключ на пятом этаже. Они вошли в кабину лифта. Ехали молча. Потом шли по коридору. Елисей приметил Лену еще в автобусе. У нее был ряд преимуществ, и главное то, что немолода. Такую легче осчастливить. За молодой надо ухаживать, говорить слова. У молодых большой выбор. Зачем нужен пьющий и женатый человек со слуховыми галлюцинациями? Он, правда, иногда хорошо говорит. Интересно. И голос красивый. Но такие радости, как голос и текст, ценились при тоталитаризме. Девочки были другие. А новые русские — другая нация. Так же, как старые русские девятнадцатого века, — другая нация. Декабристы в отличие от большевиков не хотели грабить награбленное. В этом дело. Они готовы были отдать свое.

Вошли в номер. Елисеев поставил чемодан. Снял с плеча дорожную сумку. Сгрузил с плеча свою технику. После чего разделся и повесил на вешалку свой плащ.

— Нас что, вместе поселили? — испугалась Лена.

— Нет. Что вы... Просто надо пойти позавтракать. Выпить кофе. Можно, я оставлю у вас свои вещи?

— Ну наверное... — Лена пожала плечами. Это было неудобство: оставить вещи, забрать вещи, она должна быть привязана к его вещам.

— Просто надо выпить кофе. Пойдемте?

Лена удивилась: что за срочность? Но с другой стороны, почему бы и не выпить кофе. Без кофе она не могла начать день.

Лена сняла кожаную куртку, вошла в ванную, чтобы помыть руки. Увидела себя в зеркале. Серая, как ком земли. Седые волосы пополам с темными. Запущенная. Неухоженная. Как сказала бы ее мама: «Как будто мяли в мялках». Что есть «мялки»? Сильные ладони жизни. Жизнь, которая зажимает в кулак.

Одета она была в униформу: джинсы и свитер. Как студентка. Студентка, пожилой курс. Лена хотела причесаться, но передумала. Это ничего бы не изменило.

В буфете сели за стол. Образовалась компания. Подходили ребята из группы. Оператор Володя был молодой, тридцати семи лет. Волосы забирал в хвостик. На нем была просторная рубаха и жилет. Режиссер Нора Бабаян — всегда тягостно озабоченная, как будто ей завтра идти на аборт. Очень талантливая. Володина ровесница. Почти все пребывали в одном возрасте: тридцать семь лет. И Елисеев с горечью ощутил, что он самый старый. Ему пятьдесят. Другое поколение. Он не чувствовал своего постарения и общался на равных. На том же языке с вкраплением матерного. Ему никто не намекал на возраст. Но что они, тридцатисемилетние, при этом думали — он не знал. Может быть, они думали: «Старый козел, а туда же..»

— Возьми пива, — сказал Елисееву оператор Володя.

— Вы будете пить? — спросил Елисеев у Лены.

— Нет-нет... — испугалась она. Не хотела, чтобы на нее тратили деньги.

Не хотелось вспоминать: сколько стоила болезнь, смерть, похороны и поминки. Леша Коновалов, лучший друг Андрея, сказал, уходя: «А на мои похороны вряд ли придет столько хороших людей...»

Говорят, сорок дней душа в доме. И только потом отрывается от всего земного и улетает на свое вечное поселение. Лена все сорок дней просидела в доме. Не хотела выходить, чтобы не расставаться с его душой. По ночам ей казалось, что скрипят половицы.

И сейчас, сидя в буфете, Лена не могла отвлечься на другую жизнь. А другая жизнь текла. Происходила. Пришел художник Лева с женой. Они всюду ездили вместе. Не расставались.

Лена пила кофе. Потом почистила себе апельсин. Никаким закускам она не доверяла. Кто их делал? Какими руками? А Елисеев ел и пил пиво из стакана.

Лена посмотрела на него глазами гримерши: что она исправила бы в его лице. Определяющей частью его лица был рот, хорошо подготовленный подбородком. И улыбка, подготовленная его сутью. Улыбка до конца. Зубы — чистые, породистые, волчьи. Хорошая улыбка. А с глазами непонятно. Под очками. Лена не могла поймать их выражения. Какая-то мерцательная аритмия. Глаза сумасшедшего. Хороший столб шеи. Размах рук. И рост. Под метр девяносто. Колени далеко уходили под стол. На таких коленях хорошо держать женщину и играть с ребенком.

— Я себе палец сломал. — Елисеев показал Лене безымянный палец левой руки. Ничего не было заметно.

— Когда? — спросила Лена.

— Месяц назад.

Она вгляделась и увидела небольшой отек.

— Ерунда, — сказала Лена.

— Ага... Ерунда, — обиделся Елисеев. — Болит. И некрасиво.

— Пройдет, — пообещала Лена.

— Когда?

— Ну, когда-нибудь. Так ведь не останется.

— В том-то и дело, что останется.

— А зачем вам этот палец? — спросила Лена. — Он не рабочий.

— Как это зачем? — Он поразился вопросу и остановил на Лене глаза. Они перестали мерцать, и выяснилось, что глаза карие. — Как это зачем? — повторил он. Все, что составляло его тело, было священно и необходимо.

Разговор за столом был почти ни о чем. Так... Но смысл таких вот легких посиделок — не в содержании беседы. Не в смысловой нагрузке, а в касании душ. Просто посидеть друг возле друга. Не одному в казенном номере. А вместе. Услышать кожей чужую энергетику, погреться, подзарядиться друг от друга, убежать как можно дальше от одиночества смерти. Лена помалкивала. Не старалась блеснуть ни умом, ни чем другим. Она была одной ногой тут, другой ТАМ. Елисеев чем-то недоволен. И это тоже хорошо. Он недоволен и выражает это вслух. Идет в пространстве какое-то движение, натяжение. Жизнь.

Режиссер Нора Бабаян рассказывала, как в прошлый вторник она снимала сцену Пестеля и царя. Разговаривают два аристократа. А через три метра от съемочной площадки матерятся осветители. Идет взаимопроникновение двух эпох.

— Не двух эпох. А двух социальных слоев, — поправил Володя. — В девятнадцатом веке тоже были мастеровые.

— Но они не матерились, — сказала Нора. — Они боялись Бога.

— А когда возник мат? — спросил Елисеев. — Кто его занес? Большевики?

— Татары, — сказала Лена.

— Откуда ты знаешь?

— Это все знают. Это известно.

У Елисеева в голове начался такой гомон, как будто влетела стая весенних птиц. Он понял: не надо было пить пиво. Но дело сделано.

— У меня голова болит, — сказал он и посмотрел на Лену. Пожаловался.

— Я дам таблетку, — пообещала Лена.

— Не поможет. Эту головную боль не снимет ничто.

— Снимет, — убежденно сказала Лена.

У нее действительно был набор самых эффективных лекарств. Ей привозили из Израиля.

Лена и Елисеев поднялись из-за стола. Вернулись в номер.

Лена достала таблетку из красивой упаковки. Налила в стакан воду. Елисеев доверчиво выпил. И лег на кровать.

Лена была поражена его почти детской раскованностью, граничащей с хамством. Так себя не ведут в гостях. Но, может, он этого не понимает. Не научили в детстве. Или он считает, что гостиничный номер — не дом. Это ячейка для каждого. А может, это — степень доверия. Он доверяет ей безгранично. И не стесняется выглядеть жалким.

У Лены было два варианта поведения. Первый: сказать «уходи», что негуманно по отношению к человеку. Второй: сделать вид, что ничего не происходит. Лег отдохнуть. Полежит и уйдет.

Второй вариант выглядел более естественным. Лена начала разбирать чемодан. Развешивать в шкафу то, что должно висеть, и раскладывать по полкам то, что должно лежать.

Вещи у нее были красивые. Андрей привозил. Последнее время он возил только ей. Обеспечивал.

— Знаешь, проходит, — с удивлением сказал Елисеев, переходя на ты.

— Ну вот, я же говорила, — с участием поддержала Лена. Она и в самом деле была рада, что ему лучше.

Елисеев смотрел над собой. Весенний щебет поутих. Остался один церковный колокол. «Бам... Бам-бам...»

Елисеев закрыл глаза. «Бам... Бам... Бам...» Он сходит с ума. Это очевидно. Если лечить — уйдет талант. Лекарства уберут слуховые галлюцинации и заодно сотрут интуицию. Уйдет то, что называется Елисеев. А что тогда останется? И зачем тогда жить?

— Ляг со мной, — проговорил Елисеев, открыв глаза.

Он сказал это странным тоном. Не как мужчина, а как ребенок, испугавшийся темноты.

— Зачем? — растерялась Лена.

— Просто ляг. Как сестра. Я тебя не трону.

— Ты замерз? — предположила Лена. — Я дам второе одеяло.

В номере было две кровати, разделенные тумбочкой. Она стащила одеяло со второй кровати и накрыла Елисеева. Он поймал ее руку.

— Если хочешь, оставайся здесь, — предложила она. — А я перейду в твой номер.

— Не уходи, — попросил он.

Лена посмотрела на часы. Съемка была назначена на пятнадцать часов. А сейчас одиннадцать. Впереди четыре часа. Что делать? Можно погулять по городу.

— Не уходи, — снова попросил Елисеев.

Лена поняла: он боится остаться один. Мужчина-ребенок, со сломанным пальцем и головной болью.

— Идиот этот Володька, — обиделся Елисеев. — Зачем я его послушался? Теперь голова болит.

— Но ведь уже не болит, — возразила Лена.

— Иди сюда.

Она подошла.

— Ляг. — Он взял ее за руку и потянул.

Лена стояла в нерешительности. Она никогда не попадала в такую сомнительную для себя ситуацию. Если бы Елисеев шел на таран, что принято в экспедициях, она дала бы ему по морде и на этом все кончилось. Если бы он обольщал, тогда можно воздействовать словом. Она бы сказала: «Я пуста. Мне нечего тебе дать». Но Елисеев искал милосердия. Милого сердца. И ей тоже нужно было милосердие. В чистом виде. Как хорошо очищенный наркотик.

Лена легла рядом не раздеваясь. Он уткнулся в ее плечо, там, где плечо переходит в шею. Она слышала его дыхание.

— Скажи мне что-нибудь, — попросил Елисеев.

— Что тебе сказать?

— Похвали меня.

— Ты хороший, — сказала Лена.

— Еще...

— Ты красивый.

— Еще...

— У тебя красивый рот. Длинные ноги. И зубы...

— Ты говоришь, как путеводитель. Ноги, зубы... Нормальных слов не знаешь?

— Милый... — проговорила Лена.

— Еще... еще... еще...

— Милый, милый, милый... — зашептала она, как заклинание. Как будто торопливо осеняла крестом. Оттоняла зло. И зло отступало. Голоса затихали в его голове. Елисеев заснул. Лена услышала его ровное дыхание. И подумала: «Милый...»

Он и вправду был милый, какой-то невзрослый. И вместе с тем — мужик, тяжелый и хмурый. Он дышал рядом и оттаивал ее, отогревал, как замерзшую птицу. Незаметно, чуть-чуть, но все-таки оттаивал. Было не так больно вдыхать жизнь, не так разреженно, когда вдыхаешь, а не вдыхается.

Лена тоже заснула, и ей снилось, что она спит. Спит во сне. Двойное погружение.

Проснулись одновременно.

— Сколько времени? — испуганно спросил Елисеев.

Лена подняла руку к глазам.

— Час, — сказала она с удивлением.

Они спали всего два часа, а казалось — сутки.

— Я хочу тебя раздеть, — сознался Елисеев. — Но боюсь напрягаться. У меня голова заболит. Разденься сама.

— Зачем я тебе? — спокойно спросила Лена. — Я старая и некрасивая. Есть молодые и красивые.

— Некрасивых женщин не бывает, — возразил Елисеев.

— А старые бывают.

— Желтый лист красивее зеленого. Я люблю осень. И в природе, и в людях.

Лена представила себе желто-багряный дубовый лист и подумала: он действительно красивее зеленого. Во всяком случае — не хуже. Он — тоже лист.

— А еще я люблю старые рубашки, — говорил Елисеев. — Я их ношу по пять и по десять лет. И особенно хороши они бывают на грани: еще держатся, но завтра уже треснут. Расползутся.

— А почему мы шепчем? — спросила Лена.

Она вдруг заметила, что они разговаривают шепотом.

— Это близость...

Последние слова он произнес, лежа на ней. Как-то так получилось, что в процессе обсуждения он обнял и вытянулся на ней, и она услышала его тяжесть и тепло... И подумала: неужели ЭТО еще есть в природе?

Его лицо было над ее лицом. Лене показалось: он смеется, обнажая свои чистые, влажные, крупные зубы. А потом поняла: он скалится. Как зверь. Или как дьявол. А может, из него выглядывал зверь или дьявол.

Потом они лежали без сил. И он спросил так же, без сил:

— Ты меня любишь?

Лена произносила слова любви два раза в жизни. Один раз в семидесятом году, когда они с Андреем возвращались со съемки. Он отпустил такси, и они шли пешком по глубокому снегу. Она только получила квартиру в новостройке, и там лежали снега, как в тундре. И они шли. А потом остановились. И тогда она сказала первый раз в жизни. А второй раз — у гроба.

Когда прощалась и договаривалась о скорой встрече.

Оказаться в постели с первым встречным — это еще не предательство. В постели можно оказаться при определенных обстоятельствах. Но вот слова — это совсем другое.

— Ты меня любишь? — настаивал Елисеев. Ему непременно было нужно, чтобы его любили.

— Зачем тебе это? — с досадой спросила Лена.

— Как это зачем? Мы же не собаки...

— А почему бы не собаки. Собаки — тоже вполне люди. Он включился в игру и стал по-собачьи вдыхать ее тело.

— Ничем не пахнешь, — заключил он.

— Это плохо?

— Плохо. У самки должен быть запах.

— По-моему, не должен.

— Ты ничего не понимаешь.

А потом началось такое, что лучше не вспоминать. Когда Лена вспоминала этот час своей жизни — от половины второго до половины третьего, — то бледнела от волнения и останавливалась.

Королевич Елисей мог разбудить не только спящую, но и мертвую царевну.

Лена была развратна только в своем воображении. Все ее эротические сюжеты были загнаны далеко в подсознание. О них никто не знал. И даже не догадывался. Глядя на замкнутую, аскетичную Лену Новожилову, было вообще трудно себе представить, что у нее есть ЭТО место. А тем более подсознание с эротическими сюжетами. Но Елисей весело взломал подсознание и выманил на волю. Вытащил на белый свет. И оказалось, что ТАКОЙ Лена себя не знала. Не знала, и все.

Она поднялась и босиком пошла в ванную. Включила душ и стояла, подняв лицо к воде. Вода смывала грех. Елисеев вошел следом, красивый человеческий зверь.

— Иди к себе, — попросила Лена. — Я хочу остаться одна.

— Ты этого не хочешь. — Он вошел под душ, и они стояли, как под дождем.

— Как странно, — сказала Лена.

— Не бойся, — успокоил Елисей. — Так хочет Бог.

— Откуда ты знаешь?

— Если бы Бог не хотел, он не сделал бы мне эту штучку. А тебе эту. А так он специально сделал их друг для друга. Специально старался.

Напротив ванной висело запотевшее зеркало. И в нем, как в тумане, отражался Елисеев. Лена увидела, какая красивая у него пластика и как красивы люди в нежности и близости. Как танец, поставленный гениальным хореографом. Может, так действительно хочет Бог.

— Я люблю тебя... — выдохнул Елисеев.

И Лена догадалась: для нее слова любви — это таинственный шифр судьбы. А для него — часть танца. Как кастаньеты для испанца.

В три часа они оделись и пошли в буфет. В буфете по-прежнему сидели люди из киногруппы. Было впечатление, что они не уходили.

Лена подозревала, что у них с Елисеевым все написано на лице. Поэтому надела на лицо независимое выражение и встала в очередь, пропустив между ним и собой два человека. Потом взяла свои сосиски и ушла за другой столик. Он сел возле окна. Она — возле стены. Ничего общего. Чужие люди.

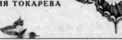

Елисеев включился в какой-то разговор, поводил рукой со сломанным пальцем. Поднимал рюмку. Выпивал. Иногда он замолкал, оборачивался и смотрел на нее подслеповато-беспомощно. И тогда она догадывалась, что он видит не эту комнату, а другую, не буфет, а их номер. Их шепот. Их адскую игру. Он улыбался — не улыбался. Скалился. И тогда все в ней куда-то проваливалось, как в скоростном лифте.

А вокруг сидели люди. Работала буфетчица. Никто ничего не замечал. Никто ни о чем не догадывался. А если бы и догадались... Люди равнодушны к чужой смерти и чужой любви. Известие о гибели Андрея обжигало. Каждый вскрикивал: «А-а-а...» Но уже через полчаса переключался на другое. Невозможно соболезновать долго.

Если бы сейчас обнаружилась их связь с Елисеевым, реакция была бы ожоговой: «Так скоро? — вскрикнули бы все. — Уже?..» И каждый вздохнул бы про себя: «Вот она, великая любовь...» А потом пошли бы в туалет пописать. И уже, надевая трусы, забыли бы о чужой страсти. Люди равнодушны, как природа.

Съемка шла в доме-музее, где действительно сто лет назад проживала семья декабриста. Стояла их мебель. На стенах висели миниатюры. В книжном шкафу стояли их книги. Было понятно, о чем они думали. Царь не хотел унизить ссыльного. Он хотел его отодвинуть с глаз долой.

Ленин в Шушенском тоже жил неплохо, питался бараниной. Наденька и ее мамаша создавали семейный уют, условия для умственной работы. Николай II поступал так же, как его дед. А то, что придумали последующие правители —

Ленин, Сталин и Гитлер, — могло родиться только в криминальных мозгах.

Елисеев работал, щелкал беспрестанно тридцать, сорок кадров на одном и том же плане. Он знал, что лицо не стоит. Меняет выражение каждую секунду. И жизнь тоже не стоит. И меняется каждую секунду.

Княгиня Волконская была одета и причесана. Лена накладывала тон на юное личико. Именно личико, а не лицо. В нем чего-то не хватало. Наполненности. Как хрустальная рюмка без вина.

«Интересно, — подумала вдруг Лена, — а у княгини с Волконским было так же, как у нас с Елисеевым? Или тогда это было не принято? Тогда женщина ложилась с мужчиной, чтобы зачать дитя. И это все. О Боже, о чем я думаю? — пугалась Лена. — Совсем с ума сошла. Русские аристократы верили в Бога. И вера диктовала их поступки. И весь рисунок жизни. В этом дело...»

Начались съемки. Героиня произносила слова и двигалась с большим достоинством. Грудь у нее была высокая, мраморная. Лицо тоже мраморное. Ничего не выражало, кроме юности. Все есть: глаза, нос, рот. Но чего-то нет, и никаким гримом это не нарисуешь.

Подошла режиссер Нора Бабаян, сказала упавшим голосом:

— Пэтэушница с фабрики «Красная Роза».

«Ее бы Елисею в руки на пару часов», — подумала Лена. А вслух сказала:

— Все на месте.

— Да? — с надеждой прислушалась Нора.

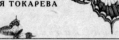

— На сто процентов, — убежденно соврала Лена. — Даже на сто один.

Другой ответ был бы подлостью. Нельзя бить по ногам, когда уже ничего невозможно изменить. Нельзя бить по ногам, потому что надо продолжать путь. Идти. И дойти.

Приблизился Елисеев и наставил свой «Никон». Притулился.

Комнаты в доме переходили одна в другую. Кажется, это называется анфилада. Сквозняк гулял по ногам. Лена озябла и сморщилась. Так, сморщившись, смотрела в объектив. Ей не хотелось быть красивой, не хотелось нравиться. Какая есть, такая и есть.

Елисеев щелкал, щелкал, как строчил из пулемета. А она принимала в себя его пули, и опрокидывалась, и умирала — какая есть. При этом сидела прямо и смотрела на Елисеева. И не могла насмотреться.

«Фу, черт, — подумала, когда он отошел. — Неужели влюбилась? Этого только не хватало». Но именно этого только и не хватало. Не хватало. Этого. Только. Слишком долго стояло в ней отсутствие жизни. Отсутствие всего. Вакуум.

И при этом она любила Андрея. Он не был мертвый. Он был НЕ ЗДЕСЬ. Но он был. И было место возле него на кладбище. С Андреем у нее — вечность. А с Елисеевым — все земное, живое и временное.

Съемки окончились в десять вечера.

Подошел автобус, чтобы отвезти группу в гостиницу.

Стоял автобус для группы и черная «Волга» для режиссера.

— Садись в машину, — предложила Нора.

Лена машинально опустилась на заднее сиденье. Рядом с ней сел оператор Володя. Впереди — Нора. Машина тронулась.

Лена успела увидеть, как Елисеев, обвешанный своей техникой, влезал в автобус.

— У меня здесь мать живет, — сказала Нора. — Давайте заедем.

Мать Норы жила в старинном деревянном доме с резными наличниками. Сюда во время войны расквартировали эвакуированных артистов. Потом война закончилась. Все вернулись в Москву, а мама осталась. Были какие-то причины. Не политические, а личные. Тогда ведь тоже любили, несмотря на войну и сталинскую подозрительность.

Лена сидела в теплом деревянном доме среди старинных вещей, ела горячий борщ. Нора рассказывала о своей недавней поездке в Германию. Ее встретил представитель фирмы — пьяный вдребезги. И Нора сама вела его «мерседес», в который села первый раз в жизни. И пробка была двенадцать километров.

— А что, немцы тоже пьют? — удивилась мама.

— А что они, не люди? — обиделся Володя.

— А если бы не ты вела, кто бы вел? — спросила Лена.

— Этот пьяный. Кто же еще...

— Но это опасно, — заключила мама.

— Здрасьте. А я о чем говорю...

У Норы было потрясающее качество, доставшееся ей от отца-армянина: она умела найти выход из любой ситуации. При этом действовала мягко, тактично, незаметно.

Мама Норы смотрела в рот своей дочери и шевелила

губами, пытаясь повторять за ней ее слова. Она ее обожала. Нора любила свою маму, но жили они врозь, виделись редко. Нора отвыкла. А мама — нет. Не отвыкла.

Лена поела горячего. Оттаяла. И прошлая жизнь потекла в нее. Похороны Андрея... Какой холодный у него был лоб, когда они прощались. Холодный и жесткий. Как курица из заморозки. Это — уже не Андрей. Лена наклонилась к его лицу, совсем низко, стала говорить слова. Она ласкала его, как ребенка. Говорила, говорила, гладила, целовала руки. А те, кто стоял рядом, не понимали, оттаскивали, мешали. И она сказала: «Отстаньте от меня». И только верная подруга Нора все поняла. Она поняла, что это не истерика, а нормальное прощание. Нора сказала негромко: «Отстаньте от нее».

Нос у Андрея высох, как и все тело. Проступали хрящи. Пришедшие проститься смотрели с затаенным ужасом: во что болезнь превратила человека. Молодого мужчину. Никто не смог сказать нормальную речь. Говорили какую-то ерунду типа: «От нас ушел художник и порядочный человек» — и так далее. Хотя действительно ушел. Действительно от нас. Действительно художник и порядочный человек. Но разве ЭТО надо говорить? Разве ЭТО имеет значение?

Жизнь Андрея была незамысловатой. В ней ничего особенного не было. Но жизнь, если она состоит из любви, смерти и запрета, — всегда незамысловата. Сложной бывает порочная жизнь.

Там грех, возмездие, смятение души.

Лене хотелось поговорить об этом с мамой Норы. И они немножко поговорили.

— Я теперь не знаю, как жить, — сказала Лена. — Детей у меня нет.

— А мама есть?

— Мама живет с сестрой.

— Ну вот, значит, и мама. И сестра.

— Они в другом городе.

— Это не важно. Они с вами. И потом, вы еще молодая.

— Я старая. Мне сорок четыре года.

— Вы еще можете выйти замуж шесть раз.

— Шесть? Почему шесть?

— Сколько угодно. Старости не бывает на самом деле.

— А вы могли бы выйти замуж? — Лена прямо посмотрела на семидесятилетнюю женщину.

— Я? Только за того, кого я любила в молодости. Кто знал меня молодой. А я его знала молодым. Когда вместе проходишь дорогу, то изменения незаметны. Ум не знает возраста тела.

— А одиночество страшно?

— Если человек верует, он не одинок. Он не может быть одинок. И еще, знаете, мне кажется, что за пределами жизни есть истина куда вернее и важнее всего, что может дать тело.

— А если это не так?

— Вера исключает такие вопросы. Вера тем и отличается от знания...

Володя выпил и сел играть на рояле. Нора пела. Голос у нее был маленький, но чистый.

Лена слушала. В душе отстаивалось хорошее чувство. Любовь стояла в воздухе, но чистая, очищенная от секса.

Нора любила маму. Мама — свою дочь. Володя любил момент бытия.

О Елисееве Лена как бы позабыла. Все, что с ним связано, — правда, но не полная правда. А значит, ложь, идущая от трусости и греха. И именно поэтому он так настойчиво спрашивал: «Ты меня любишь? Ты меня любишь?» Потому что он хотел грех замазать истинным. Лена это чувствовала подсознанием, тем же самым, в котором прятались ее эротические сюжеты.

Человек сложен и в то же время прост. В нем два начала: дьявол и Бог. И они равновелики. Дьявол — умный и серьезный соперник. Может, они с Богом когда-то дружили, а потом идейно разошлись и стали враждовать. Бороться за каждую человеческую душу.

— Сыграйте «Хризантемы», — попросила мама Норы.

Володя заиграл и запел о том, что «отцвели уж давно хризантемы в саду…». Лена слушала. Звуки проникали в душу. Значит, душа оттаяла и пропускала. Вдруг вспомнила, как Коновалов сказал на поминках: «Тот, кто пережил экстаз смерти, может лишь смеяться над остальными так называемыми удовольствиями».

— А ты откуда знаешь? — удивилась жена Коновалова.

— Агония — это что, по-твоему? Это оргазм. Но какой… Душа с телом расстается.

— А ты откуда знаешь? — снова спросила жена.

Лена тогда не обратила внимания на сказанное. А сейчас подумала: а вдруг это правда? Все связано в одно: любовь, смерть… Так же, как день и ночь объединены в одни сутки.

Нора Бабаян смотрела перед собой и думала — что осталось снять. Деревянный Иркутск прошлого века. Кладбище. Дома и могилы почти не изменились с тех пор. И если разобраться, не так уж много времени прошло.

В гостиницу вернулись поздно. Во втором часу ночи.

Лена приняла душ. Легла. И тут же заснула.

Ее разбудил резкий телефонный звонок.

— Ты ведешь себя, как продавщица, — сказал голос Елисеева.

— Почему?

— Ты села в машину и уехала. Ты демонстративно бросила меня, как будто я говно. Запомни: я пьяница, бабник, пошляк. Но я не говно.

— Хорошо, — согласилась Лена.

— Что «хорошо»?

— Ты пьяница, бабник и пошляк.

— Ты ничего не поняла.

— Что ты хочешь? — запуталась Лена.

Он бросил трубку.

Лена легла и снова заснула. Она засыпала непривычно легко, наверное, потому, что отогрелась. Что же ее оттаяло? Деревянный дом, борщ, поцелуи Елисеева, работа над лицом княгини Волконской. И уверенность в том, что завтра все повторится. Опять грим. Опять надобность в ней. Надобность, которая не кончится смертью. Андрей выбрал из нее все силы для того, чтобы взять и умереть. А здесь она отдаст силы, талант, и выйдет фильм о жизни декабристов. О красивой, одухотворенной жизни. По сути, декабристы — первые диссиденты. Пестель — тот же Сахаров. Что не хватало Пестелю? А Сахарову — чего не хватало?

Дверь раскрылась. Вошел Елисеев. Значит, Лена забыла повернуть ключ.

— Ты спишь? — спросил Елисеев.

— Естественно...

Он молча раздевался. Стягивал носки и рубашку.

— Интересное дело... Я лежу. Плачу. А она спит.

Он улегся рядом, как будто так и надо. Как будто иначе и быть не могло. И в самом деле: не могло. От него божественно пахло розами и дождем. И коньяком.

— Ладно тебе, — примирительно сказала Лена, задыхаясь от нежности.

— Нет, не ладно. Я думал, ты — леди. А ты — продавщица.

— Леди тоже бывают бляди, — сказала Лена.

Она уткнулась в его плечо. Потом угнездила свое лицо в сгибе между шеей и подбородком. Даже в темноте он был красив.

— Ты еще не знаешь меня, а уже не уважаешь. Априори.

Она не слушала его слова. Только интонации. Они были четкие. Горькие. Он в самом деле был расстроен. Огорчен. Он хотел выяснить отношения.

— Это потому, что ты меня не любишь, — заключил Елисеев. — Ты просто об меня греешься. Не знаю, почему ты выбрала именно меня? За что мне такая честь и такой подарок?

— По-моему, это ты выбрал меня. Это твоя идея.

— Я давно тебя выбрал. Я еще год назад тебя выбрал. Я ждал случая.

Лена вспомнила, что действительно год назад они с Андреем были на дне рождения у Коноваловых. Андрей тогда уже похудел, но еще не слег. Они еще ходили в гости. И к ним ходили гости. Тогда, у Коноваловых, Елисеев нависал над ней с рюмкой. Что-то говорил. Интересничал. Но у нее были мозги не тем заняты.

— Перестань, — сказала она. — Все не так плохо. Бабник, пьяница и пошляк — это тоже может нравиться. Любят и с этим.

— Ты меня любишь? — спросил Елисеев и замер в темноте.

Захотелось сказать: «Нет, я не люблю тебя».

— Не знаю.

— Что значит: не знаю. Да или нет?

— Скорее да.

— Что «да»?

— Люблю.

Это было ужасно. Мистические слова, шифр судьбы, были произнесены всуе. Просто так. На воздух. Но слово вылетело и материализовалось. Она любила. Любила его ноги, руки, запах, лицо, интуицию. Ту самую интуицию, которая вела его и в работе, и по тайным тропкам распущенности.

Он заплакал. Его начало трясти.

— Я погибаю, — он прятал лицо в ее плече. — Скажи, ты меня спасешь? Ты спасешь меня?

— Нет, — сказал Лена. — Я тебя окончательно прикончу.

Ему это понравилось. Он перестал плакать. Поднял голову. Тихо улыбнулся, как оскалился. Она осторожно поцеловала его зубы — чистые и влажные.

— Родная моя, — проговорил он. — Милая моя. Как я тебя обожаю. Ты единственный человек, который мне сейчас нужен в этой трижды проклятой жизни. Я брошу всех и буду любить тебя одну.

— Я хотела бы быть молодой для тебя.

— Зачем?

— Чтобы только я.

— Ты самая молодая для меня.

Он обнял ее.

Впереди расстилалась ночь любви.

Лена задыхалась от некоторых его идей. Но с радостной решимостью шла навстречу. Они были равновеликими партнерами, как Паганини и его скрипка. Как летчик-ас и его самолет. Одно невозможно без другого.

Под утро заснули. Спали мало, но странным образом выспались и чувствовали себя замечательно. И весь день в теле стояла звенящая легкость.

В городе жил человек по фамилии Панин. Его приглашали на могилу декабристов. Приглашали в особо ответственных случаях, когда приезжали иностранцы и высокие гости.

Панин умел впадать в особое состояние, как шаман. Вгонял себя в транс и оттуда, из транса, начинал надгробный крик над святыми могилами. Из него выплескивалась энергия, от которой все цепенели и тоже впадали в транс. Доверчивые американцы плакали. Циничные поляки не поддавались гипнозу. Усмехались и говорили: для нас это слишком.

Елисеев стал невероятно серьезным и не мог щелкать своим фотоаппаратом. А Лена взялась рукой за горло и поняла, сейчас что-то случится. Панин завинчивал до нечеловеческого напряжения. Его лицо было мокрым от пота.

— Интересно, ему платят? — спросил оператор Володя. — Или он энтузиаст?

— Сумасшедший, — сказала Нора Бабаян.

Лена пошла в сторону, не глядя. Остановилась возле кирпичной кладки. Ей надо было прийти в себя. Справиться. Она умела справляться. Научилась. Как детдомовский ребенок, которому некому пожаловаться. Не на кого рассчитывать. Лена никогда не разрешала себе истерик, хотя знала: это полезная вещь. Лучше выплеснуть на других, чем оставить в себе. Но каково другим? Значит, надо держать внутри себя. А не помещается. Горе больше, чем тело. Подошел Елисеев. Обнял.

— Я хочу быть тебе еврейским мужем, — сказал он. — Любить тебя и заботиться. Носить апельсины.

Лена держалась за него руками, ногтями, как кошка, которая убежала от собаки и вскарабкалась на дерево. Только бы не сорваться. А он стоял прямой и прочный, как ствол.

В голове Елисеева шел митинг, но спокойнее, чем обычно.

Елисеев переключил свой страх на сострадание. Отвлекся от своего горя на чужое. И этим выживал.

Панин вычерпывал себя для исторической памяти. Иначе весь этот транс, не имея выхода, разнес бы его внутренности, как бомба с часовым механизмом. Или какие там еще бывают взрывающие устройства.

— Хочешь, я встану перед тобой на колени? — спросил Елисеев.

— Зачем?

Он встал на колени. Потом лег на снег. И обнял ее ноги.

— Выпил, — догадалась Лена. — Дурак...

— Я выпил. Но я трезвый.

Это было правдой. Он выпил, но он был трезвый. Трезво понимал, что устал жить в двух жизнях. Семья без эмоций. И эмоции вне семьи. Две жизни — это ни одной.

Панин все неистовствовал, вызывая в людях историческую память и историческую ответственность. А группа стояла темной кучкой. И что-то чувствовала.

Вечером все собрались в номере оператора Володи. Мужчины принесли выпить. Женщины нарезали закуски.

Лена и Елисеев пришли врозь. Чтобы никто не догадался.

Сидели в номере: кто на чем. На стульях, на кроватях, на подоконнике. Лене досталось кресло. Елисеев околачивался где-то за спиной. Она не оборачивалась. Не искала его глазами.

Здесь же присутствовала девочка, играющая княгиню Волконскую. У нее был странный деланный голос, как будто она кого-то передразнивала. Девочка была беленькая, нежная, высокая и очень красивая. Лена любила молодых. Они ее не раздражали. Они как бы утверждали цветение и красоту жизни в ее чистом виде.

Лена знала, что ее родители разошлись и девочка жила с бабушкой. И второе: у нее был друг-банкир, который содержал ее и бабушку и, кажется, обоих родителей с их новыми семьями. Хороший банкир.

Все постепенно напивались. Стали петь. Выбирали песни тоталитаризма. В том времени были хорошие мелодии.

«Эх, дороги, пыль да туман...» Это — не пьяный ор. Это — песня. И поющие. Люди, осмыслявшие жизнь. Зачем были декабристы? Чтобы скинуть царя? Чтобы без царя? Чтобы в результате было то, что стояло семьдесят лет? И то, что теперь...

Вся киногруппа нищенствует. И творцы, и среднее звено. А банкир живет хорошо. И покупает любовь. Любовь стоит дорого. Или не стоит ничего.

Елисеев куда-то исчезал из поля зрения. Лена оборачивалась и искала его глазами. Он пил много. Лицо становилось растерянным. Лена боялась, что он оступится и ударится об угол кровати. Все окружающее как будто выставило свои жесткие углы.

Она знала его два дня. Это много. Даже за один час можно все понять. А тут два дня и две ночи. Сорок восемь часов.

Андрей — совсем другой человек. Но такие, как Андрей, не живут. Таких Бог быстро забирает. Они Богу тоже нужны. Они нужны везде — тут и там. А Елисеев — ни тут, ни там. Но любят и таких.

Он подошел к ней. Сел на ручку кресла. Посмотрел в ее глаза проникающим взглядом. Лена увидела, как тяжело пульсирует жилка на шее. Шея — не молодая. Примятая. Кровь пополам с водкой. Сердце устало, но качает. Он сел рядом, чтобы сердце получше качало. Не так тяжко.

— Ты мне поможешь? — спросил он. — Не дашь подохнуть?

— Не дам. Я умею. Я поддержу.

Он поверил и успокоился.

Потом они ушли врозь. Она — раньше. Он — через десять минут.

Лена вошла в ванную. Зажгла свет. И увидела себя в зеркале. Она была красивая. Этого не могло быть, но это было.

Андрей любил ее рисовать. Овал лица — треугольником, с высокими скулами. И большие зеленые глаза. Кошка. Глаза преувеличивал. А щеки преуменьшал. И сейчас в гостиничном зеркале Лена увидела преувеличенные глаза и овал треугольником. Горе что-то добавило. Присмуглило. Подсушило. Но осенний лист тоже красив. И его тоже можно поставить в вазу, украсить жилище. Жизнь продолжается.

Вошел Елисеев. Едва разделся и сразу грохнулся.

— От тебя воняет алкоголем, — сказала Лена.

— Ну и что теперь с этим делать? Лечь на другую кровать?

— Нет, — сказала она. — Останься.

Они лежали рядом и слушали тишину.

— Ты никогда не говорил о своей жене.

— А зачем о ней говорить?

— Но она же существует...

— Естественно.

— А какая она?

Он помолчал. Потом сказал нехотя:

— Высокая. Сутулая. Это оттого, что у нее всегда была большая грудь. Она стеснялась. И сутулилась.

— Ты ее любил?

— Не помню. Наверное...

— У вас есть дети?

— Нет.

— А постель?

— Нет.

— А какая ее роль?

— Мертвый якорь.

— Что это значит?

— Это якорь, который болтается возле парохода и цепляется за дно. Он не держит. Но корабль не может отойти далеко. Не может уйти в далекие воды.

Его корабль болтается у причала, как баржа. Среди арбузных корок и спущенных гальюнов.

— А зачем тебе такая жизнь?

— Я не должен быть счастлив. Иначе я не смогу останавливать мгновения. Или остановлю не те. Счастливый человек не имеет зрения. Он имеет, конечно. Но другое.

— Это ты все придумал, чтобы оправдать свое пьянство и блядство. Можно серьезно работать и серьезно жить.

— Можно. Но у меня не получается. И у тебя не получается.

— Мой муж умер.

— Я об этом и говорю. Твой муж серьезно работал и серьезно жил, и это скоро кончилось. Когда все спрессовано, то надолго не хватает. Надо, чтобы было разбавлено говном.

— Ты же говорил, что хочешь быть мне еврейским мужем...

— Хочу. Но вряд ли получится. Я пьянь.

— Пей.

— Я бабник.

— Это плохо. Мы будем ссориться. Я буду бороться.

— Я пошляк.

— Но любят и с этим. Ты только будь, будь...

Он навис над ней и смотрел сверху.

— Ты правда любишь меня?

— Не знаю. Ты проник в меня. Я теперь не я, а мы. Я стала красивая.

— Ты красивая. С этим надо что-то делать...

— А что с этим делать?

Они обнялись. Его губы были теплые, а внутренняя часть — прохладная. От этого тепла и прохлады сердце подступало к горлу, мешало дышать.

Лена заснула в его объятиях. Ей снился океан, в который садилось солнце. Лена улыбалась во сне. И выражение лиц у обоих было одинаковым.

В последний день съемок они не расставались. Лена и Елисеев уже ничего не скрывали, хотя и не демонстрировали. Каждый делал свое дело. Лена клеила бакенбарды, укрепляла их лаком. Елисеев останавливал мгновения, но дальше, чем на метр, от Лены не отходил. А если отходил дальше, то начинал оглядываться. Лена поднимала голову и ловила его взгляд, как ловят конец веревки.

В гостиницу отправились пешком. Захотелось прогуляться. Елисеев нес ее сундучок с гримом и морщился. Болел палец.

Впереди шла и яростно ссорилась молодая пара, девчонка и парень лет по семнадцати. Может, по двадцати. На нем были круглая спортивная шапочка и тяжелые ботинки горнолыжника. На ней — черная бархатная шляпка «ретро». Такие носили в тридцатые годы. Девчонка что-то выговаривала, вытягивая руки к самому его лицу. Парень вдруг остановился и снял ботинки. И пошел в одних носках по мокрому снегу, держа ботинки в опущенной руке.

— Антон! — взвизгнула девушка. — Надень ботинки!

Но он шел, как смертник. Остановить его было невозможно. Только убить.

— Ну и черт с тобой! — Девушка перебежала на другую сторону улицы.

Парень продолжал путь в одних носках, и по его спине было заметно, что он не отменит своего решения. Это была его форма протеста.

— Антон... — тихо окликнула Лена.

Он обернулся. Его лицо выражало недоумение.

— Надень ботинки, — тихо попросила Лена.

Антон не понимал: откуда взялись эти люди, откуда они знают его имя и почему вмешиваются в его жизнь. Он шевельнул губами — то ли оправдывался, то ли проклинал...

Лена и Елисеев прошли мимо. Обернулись. Снова подбежала девушка, тянула пальцы к его лицу. Он стоял босой, ослепший от протеста. Они не могли помириться, потому что были молоды. Они хотели развернуть жизнь в свою сторону, а она не разворачивалась. Торчала углами.

Тогда Антон бросает вызов: если жизнь с ним не считается, то и он не будет считаться с ней. И — босиком по снегу. Кто кого.

Лена неторопливо складывала свой чемодан. Неторопливо размышляла. В Москве можно будет повторить иркутскую схему: он войдет в ее дом со своей дорожной сумкой и ее чемоданом. Поставит вещи в прихожей. Снимет плащ. И они отправятся на кухню пить кофе. Потому что без кофе трудно начинать день. Потом можно будет лечь и просто заснуть — перелет был утомительным. А потом отправиться на работу. Правда, у него есть жена, мертвый якорь. Но мертвому не место среди живого. Мертвое надо хоронить. Их корабль выйдет в чистые воды для того, чтобы серьезно работать и серьезно жить.

Елисеев стоял перед зеркалом, брился и смотрел на свое лицо. Он себе не нравился. Смотрел и думал: «Неужели ЭТО можно любить?»

* * *

Погода в Москве была та же, что и в Иркутске. Мокрый снег. Хотя странно: где Москва, а где Иркутск...

Елисеев вошел в свой дом и первым делом направился в туалет.

Он не снял обуви, и после него остались следы, как от гусениц. Грязный снег мгновенно таял на полу, превращаясь в черные лужицы. Вышла жена. Увидела лужи на полу, но промолчала. Какой смысл говорить, когда поздно. Когда дело уже сделано. Теперь надо взять тряпку и вытереть. Или его заставить взять тряпку и вытереть после себя. Елисеев стоял и мочился. В моче была кровь.

— Галя! — громко позвал он. — Посмотри!

Жена заглянула в унитаз и спокойно сказала:

— Допился...

— Что же будет? — холодея, спросил Елисеев.

— Откуда я знаю?

— У меня рак?

— Песок. И камни. Надо идти к врачу. — Галя знала, что только страх смерти может удержать его от водки и от бабы. Поэтому она не успокаивала. Но и не пугала. Сильный стресс мог вызвать сильный запой.

За двадцать лет совместной жизни она научилась балансировать и вполне могла бы работать эквилибристкой.

Елисеев встал под душ. Его указующая стрела, которая еще так недавно и так ликующе указывала дорогу к счастью, превратилась в свою противоположность. Она болталась жалким шнурком и годилась только для того, чтобы через нее совали железные катетеры, вызывая нечеловеческую боль, как пытки в гестапо.

Елисеев надел халат и вошел в комнату. Жена смотрела телевизор. Показывали рекламу мыла.

— Ты хочешь, чтобы я умер? — серьезно спросил Елисеев.

— Нет. Если ты меня бросишь, я переживу. Я злая. А если умрешь — не знаю.

Он пошел в спальню и лег. Не заплакал. Он плакал только для красоты жизни. А от страха он не плакал.

Галя смотрела телевизор. После рекламы показывали мексиканскую серию. Галя устала от сложностей. Душа жаждала примитива.

Она догадывалась, что Елисеев оттянулся на полную катушку. И была баба. И космическая любовь. У него иначе не бывает. Только космическая. Пламя до самых звезд. Но если в этот костер не кидать дров, пламя падает. И тухнет в конце концов. Через месяц он успокоится. Потом забудет, как ее звали.

Так бывает в каждую поездку. Это входит в его цикл. Любит запоем. Работает запоем. Запойный человек. Он ТАКОЙ. А она — его жена. Любовницы, наверное, притворно сочувствуют: вот сидит бедная, надуренная... А это они — бедные и надуренные. А она — его жена.

Зазвонил телефон.

«Началось», — спокойно подумала Галя и спокойно спросила:

— Ты дома?

Лена Новожилова переделала с утра кучу дел. Убрала квартиру: на это ушло четыре часа в четыре руки. Помогала соседка Люба по кличке Прядь. Она красила одну прядь во-

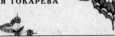

лос надо лбом в противоположный цвет. Хотела выделиться среди остальных. И выделялась. С Любой убирать было весело. Одной бы не справиться.

Потом Лена пошла в магазин и купила еду: фрукт манго и овощ авокадо. Оливки. Елисеев должен интересно поесть. Не картошку с мясом, которую ест из года в год вся страна... Но если он привык и если захочет, то можно, в конце концов, приготовить и картошку с мясом. Бефстроганов, например. Для этого нужны лук и сметана. Лена вернулась в чистый дом. Все приготовила. Устала. Села в кресло, закрыла глаза и стала мечтать, как Елисеев переберется к ней со своей аппаратурой и вся квартира превратится в одну сплошную фотолабораторию. У Елисеева два состояния — пить и работать. А у нее — тоже два. Работать и смотреть телевизор. Как раньше обходились без телевизора? Вышивали на пяльцах? Играли на фортепьянах? Ездили на балы?

Они с Елисеевым тоже будут иногда выходить в гости. Он будет стоять с рюмкой, нависать над какой-нибудь барышней. Благоухать розами и дождем. В черном кашемировом пиджаке с шейным платком. Барышня будет смотреть на него снизу вверх сияющими глазами, испытывая возрастное преимущество перед Леной. Лене захочется подойти и устроить им скандал. Но она сдержится. Будет держать себя в руках. В прямом смысле. Обнимет себя за плечи и будет держать в руках.

А потом они вместе вернутся домой. Машины у них нет. Придется добираться на метро и на автобусе. И пока доберутся — все пройдет: и его увлечение, и ее ревность. И даже говорить на эту тему будет лень. Они разденутся и лягут спать под одно одеяло. И ей приснится остров Кипр, на котором она ни разу не была. Елисеев тоже будет чему-то улыбаться во сне. И выражение лиц у обоих будет одинаковым.

Звонка не было. И это становилось странно. Может быть, он потерял ее номер? А может быть, вообще не записал?

Лена подождала до вечера. Позвонила сама. Услышала в трубке его голос.

— Привет, — сказала Лена.

— Привет, — ответил он. Голос — глухой, неокрашенный, и ей показалось, что он не узнал ее. Не понял.

— Это я. Лена.

— Я узнал. Это ты, Лена, — повторил он тем же неокрашенным голосом.

Она растерялась.

— Тебе неудобно говорить?

— Почему? Удобно.

— Что-то случилось?

Елисеев молчал. В мозгах шел великий благовест: митинг соединился с колокольным звоном, и надо всем этим гомонила стая весенних птиц.

Поясницу ломило, почки отказывались фильтровать. Организм восставал против его образа жизни.

Песок и камни — это пляж. Или морское дно, за которое цепляется якорь.

— Мы больше не будем видеться, — сказал Елисеев.

— Почему?

— Потому что я — мертвый якорь.

— А я? А мне что делать? — беспомощно спросила Лена.

— Ну... пять дней не такой уж большой срок.

— Зачем ты говорил, что любишь меня? Что хочешь быть мне мужем?

— Это была правда.

— Тогда правда. И сейчас. Сколько же у тебя правд?

— Две.

Лена молчала.

— Не плачь, — сказал он. — Сейчас трудно. Но с каждым днем будет все легче. Освобождайся от меня.

Лена не плакала. Это он хотел, чтобы она заплакала по нему. Это он выстраивал кадр. Останавливал мгновение.

Она бросила трубку. Оцепенела.

Смерть Андрея. Предательство Елисеева. Эти два события не соизмеримы ни по времени, ни по значению. Но это рядом. Одно за другим. Жизнь бросала один вызов, потом другой. Теперь ее очередь. Можно снять ботинки и босиком пойти по снегу. Простудиться и умереть. Но зачем так многоступенчато: ходить, болеть... Можно просто умереть — быстро и небольно.

Как горит в груди... Как больно, когда подрубают страсть, когда топором наотмашь — хрясь! И заходишься от боли. Болевой шок. Нужен наркоз. Сон. Быстрей. Будет легче. Будет никак. Ничего не будет, ничего, ничего, ничего. НИ-ЧЕ-ГО...

Лена пошла на кухню, достала из холодильника все снотворные, которые скопились за время болезни Андрея. Ссыпала их на стол. Лекарство хорошее, очищенное, хотя какая разница... Таблетки хорошо запивать молоком, хотя опять же — какая разница. У нее были сухие сливки. Она развела их в воде. Не думая, заставляя себя не думать, стала закидывать в рот по таблетке. Потом по две. Она торопилась, чтобы не передумать. И чтобы скорее наступило НИЧЕГО.

Таблетки кончились. Ничего не наступало.

Лена подошла к телефону и набрала номер Елисея. Попрощаться. Она на него не обижалась. Он в нее проник. И освободиться от него можно было только, освободившись от себя.

Лена услышала его голос и сказала:

— До свидания.

— До свидания, — ответил он. Голос был сонный.

Лена положила трубку. Прислушалась к себе. НИЧЕГО разрасталось. Разбухало.

Лена набрала телефон Норы Бабаян. Подошел ее муж.

— Боря, привет, — поздоровалась Лена. — А Нора дома?

— Ее нет. Она в монтажной. Что передать?

— Передай: до свидания.

— Ты уезжаешь?

Лена не ответила. НИЧЕГО стремительно втягивало ее. И втянуло.

А потом вдруг выплеснуло, как волной. Лена очнулась в палате. Возле нее стоял врач.

— У меня к вам будут вопросы, — сказал врач.

— А у меня к вам, — строго ответила Лена.

Через неделю ее выписали домой. Наверное, врач не захотел отвечать на ее вопросы.

В доме было чисто, только на полу ребристые следы. Эти следы принадлежали ботинкам Норы Бабаян. Друзья на то и существуют, чтобы оказаться в нужное время в нужном месте.

Врач сказал впоследствии, что доза могла убить лошадь, но лекарства оказались качественные и запивались молоком. Это снизило интоксикацию.

Но Лена знала: дело не в лекарствах и не в молоке. Это все Андрей. Это он не разрешил ей сходить с дистанции раньше времени. Как там у Высоцкого: «Наши мертвые нас не оставят в беде...» Лена посмотрела на себя в зеркало. Выглядела, как это ни странно, хорошо. Она, конечно, не была молодой. Но и старой она тоже не была. Впереди расстилался довольно длинный кусок жизни, по нему надо было идти.

— Лена, — сказала она себе. — Надень ботинки...

Потом прошла на кухню. Достала из холодильника манго и стала есть. Это был желтый, душистый, сочный плод, ни на что не похожий на самом деле.

Зазвонил телефон. Она подняла трубку. Услышала голос Елисеева.

— Ты где была? — спросил он. — Я звонил.

Лена подумала и ответила:

— На Кипре.

— А что это? — удивился Елисеев.

— Остров. Курорт.

— Ну вот... — обиделся он. — По курортам ездишь. А я болел...

Через несколько месяцев Лена увидела Елисеева на банкете. Фильм был окончен. Его отобрали на фестиваль. Нора Бабаян нашла спонсора. Спонсор устроил банкет. Елисеев

стоял с рюмкой. С кем-то разговаривал. Интересничал. На его лице была щетина трехдневной давности. По последней моде. Но эта щетина хороша на молодых лицах. А на лице пятидесятилетнего Елисеева она выглядела как плесень. Он стоял заплесневелый, с заваленными вниз бровями. Глаза под очками — не поймать выражения. Мерцательная аритмия. Пиджак на нем был дорогой, но топорщился сзади, как хвост у соловья. И во всем его облике было что-то от бомжа, которого приодели.

Лена смотрела на него и не могла поверить: неужели из-за этого замшелого пня она хотела уйти из жизни... Хотя при чем тут он? Просто страх одиночества и жажда любви. В этом дело. Страх и жажда. А он ни при чем. Он — просто гастролер. Поехал, выступил, показал свое искусство. И вернулся. И опять поехал, опять выступил. Такая работа.

Елисеев увидел Лену. Подошел. Улыбнулся, как оскалился. И вдруг Лена поняла: он не скалится. Он пробует лицо. На месте оно? Или его уже нет?

А вокруг творилось настоящее веселье. Люди вдохновенно ели и вдохновенно общались. На столах стояли икра в неограниченных количествах и метровые осетры, приплывшие из прежних времен. Женщины были прекрасны и таинственны. А мужчины умны. И казалось странным, что за стеной ресторана — совсем другая жизнь.

Повести

Лиловый костюм

Молодая скрипачка Марина Ковалева получила приглашение во Францию на фестиваль, который назывался так: «Европа слушает».

Когда-то ее слушали только мама и бабушка, и главная мечта Марины: чтобы ее послушал папа. Но папа был постоянно занят. Он поздно приходил домой, поздно просыпался, и Марина его практически не видела.

Марина все детство мечтала, как папа однажды придет и сядет в кресло, а она перед ним со скрипкой на плече и с бантом в волосах. Она будет играть, а папа слушать.

Случалось, папа приходил и садился, но не слушал. Он всегда торопился. Бабушка его за это тихо ненавидела, а мама уважала. Она говорила бабушке: «Дома сидят только бездари и подкаблучники».

Марину отдали в музыкальную школу с пяти лет, и сколько она себя помнила — всегда со скрипкой. Она иногда задумывалась: что было вначале — скрипка или Марина? Очень может быть, что вначале — скрипка, а уж к ней приторочили маленькую девочку с большим бантом. Потом девочка росла, бант сняли. И вот уже — молодая женщина тридцати семи лет без мужа и без ребенка. Вместо мужа и вместо ребенка — исполнительская деятельность.

Профессионалы отмечали оригинальное прочтение и супертехнику. Марина не мазала. Каждая нотка — как отдельный серебряный шарик. Во время ее концертов на людей просто обрушивался чистый серебряный дождь, и было непонятно, как человек, тем более женщина, может достигнуть такой техники. Слово «техника» даже не подходило. Скорее: явление природы. И вся Марина — явление природы, красивая, гордая, фанатично преданная музыке.

Казалось, мужчины должны пачками валяться у нее в ногах. Но никто не валялся. Боялись, наверное. Думали: у нее скрипка есть. Зачем я ей нужен?

Была у Марины первая любовь. Учитель, в прямом смысле. Он ей преподавал «божью искру». Если ее можно преподать. Но наверное, можно. Марина его любила.

Мама говорила: первая любовь, пройдет, все еще будет... Но ничего не проходило и не пришло.

Когда долго смотришь на солнце, потом ничего не видишь вокруг. Так и у нее. Хотя какое там солнце... Женатый, с камнями в желчном пузыре. Женатое солнце с камнями. А она хотела покончить с собой. Даже приготовила настойку. Даже хлебнула один разочек, но испугалась. Папа тогда отбросил все дела и водил ее в бассейн и в цирк, как маленькую. И держал ее за руку.

Женатое солнце с камнями закатилось за горизонт, ушло в Америку. Но остались скрипка и искра божия, которую он преподал. И вот теперь «Европа слушает».

Самолет приземлился в парижском аэропорту. Марину встретила переводчица, которая держала в руках табличку. На табличке латинскими буквами была написана ее фамилия.

Марина подошла к переводчице, они радостно заулыбались друг другу. Переводчица радовалась, что так легко нашла Марину. А Марина радовалась, в свою очередь, что ее встретили. Все-таки страшно оказаться в чужом городе без языка и без денег.

Переводчица представилась:

— Барбара...

По-русски это имя произносится: Варвара с ударением на второе «а». И Барбара звучит несомненно более красиво.

Они уселись в машину. Барбара сообщила, что городок, в котором будет проходить фестиваль, совсем маленький, не имеет своей промышленности. Это город-музей, основанный в одиннадцатом веке. Мэр города очень прогрессивный человек и время от времени устраивает фестивали, чтобы жители были в курсе всех культурных событий.

«Мэр старается для города, — подумала Марина, — но и для себя он тоже старается. Иначе его не выберут на другой срок».

Барбара вела машину легко и мастерски. На нее было

приятно смотреть. Уверенная в себе, ухоженная, в элегантном лиловом костюме — хозяйка жизни.

Марина считала, что в ее жизни — два тяжелых недостатка. Не умеет водить машину и не знает языки. От этого образуется постоянная зависимость: кто подвезет и кто переведет.

Дороги были гладкие, широкие, обустроенные бензоколонками, магазинчиками и кафе.

Барбара притормозила машину. Зашли в кафе.

Еда была восхитительная, особенно пирожные с черникой. Сосиски — горячие, сочные, душистые, с горчицей. Горчица — не горькая, с каким-то запахом. Не понравилась. Русская лучше. Русская горчица рвет глаза, а эта — так. Непонятно зачем. Какая-то десертная горчица.

Барбара ела очень красиво. У нее были красивые руки, тонкие в запястьях. Маникюр — как особое украшение. «Не замужем», — подумала Марина.

Марина срезала ногти, у нее пальцы — рабочий инструмент, а у Барбары — боевое оперение.

Сосиски не надо было чистить. Кусай и ешь и жмурься от счастья. Жизнь складывалась неплохо. Вот ее уже слушает Европа, а потом можно пригласить весь мир. И это не в конце жизни, а в первой половине. За талант дают горячие сосиски, черничное пирожное. И что-то лишнее. Лишнее — свобода. Она ничего никому не должна. Ни мужчине, ни ребенку. Это плохо. А чего не хватает? Колена. Вот сейчас сидела бы в этом маленьком придорожном кафе, а под столом колено любимого человека. Сидели бы коленка к коленке. И тогда совсем другое дело.

После первой неудачной любви Марина выходила замуж три раза. Первый муж был интересный человек, но пил. Приходилось таскать на спине.

Второй — не пил, но не зарабатывал. Созерцал жизнь, как дзэн-буддист. Сидел на шее. Марине приходилось быть всем: и кухаркой, и любовницей, и Паганини.

Третий муж — не пил. Зарабатывал. Но скандалил. Орал так, что поднимался потолок. Причина? Никакой. Просто из него, как из вулкана, выходила раскаленная магма или ядовитый дым. Сидеть и вдыхать такой дым — мало радости. Никакой любви не захочешь. Лучше — одной.

Каждого из трех Марина поначалу любила. И когда все начиналось, то их недостатки казались ерундой на фоне мощного физического притяжения и нежности. Казалось, что все можно победить и преодолеть: пьянство, лень, скандалы. Но со временем физическое притяжение ослабевало, любовь мелела, как озеро, а недостатки росли и давили, как монстр. И все рушилось в конце концов.

Марине хотелось встретить такого, который бы совмещал достоинства всех троих: интеллект первого, красота второго, экономическая мощь третьего.

Но такие ей не попадались. Может быть, таких в России нет вообще, может быть, они водятся где-нибудь в Австралии.

Однако была еще одна причина ее одиночества. Она не могла забыть своего Маэстро и всех с ним сравнивала. И никто не выдерживал сравнения. Маэстро играл на скрипке лучше, чем она. Лучше всех людей. Лучше, чем Паганини. Или так же.

Марина вздохнула. Она никогда не забывала о нем. Когда настоящее — это не проходит. И все, что Марина делала, — для него. Худела, становилась независимой, знаменитой — все это был диалог с ним. И даже лиловый костюм — тоже для него.

— Вы хотите получить деньги в начале или в конце? — спросила Барбара.

— Все равно, — сказала Марина.

— А как у вас в контракте?

— Я не обратила внимания.

Барбара удивленно пожала плечами: дескать, как это не обратить внимание на финансовую сторону контракта.

У нее были волосы цвета древесной стружки, синие глаза, красивые крупные зубы. По отдельности все хорошо, а вместе не складывалось. Может быть, причина — в выражении лица. В нем стояла скрытая агрессия. Ей все не нравилось. Такие характеры — как ветреная погода. В такую погоду — неуютно, стоишь и кутаешься.

И постоянно чувствуешь себя виноватой, непонятно в чем. В чем ее вина?

В том, что пилила на скрипке с пяти лет, отрабатывая технику. Это не вина, а способность к развитию способностей. У одних есть такая способность, а у других нет.

Бабушка, верящая в загробную жизнь, говорила, что на том свете одни спят, а другие работают, продолжают дело, начатое на земле.

— Но ведь и на этом свете половина людей спит, хоть и живет, — возражала мама.

— Правильно, — соглашалась бабушка. — Они тут спят и там спят.

Марина с ужасом думала, что и после жизни придется пилить, поддерживая скрипку подбородком. Это уже не вдохновение, а наказание.

Но сейчас рано об этом думать. Сейчас она едет по осенней Франции, а рядом с ней Барбара, серьезная и обстоятельная, как параграф. Принято считать, что француженки легкие и легкомысленные. А у Барбары все четко: дважды два — четыре, а трижды три — девять. Что, в общем, так оно и есть.

— Сколько вам лет? — спросила Марина.

— Тридцать два с половиной. А что?

— Вы замужем?

— Нет.

— И не были?

— Не была. А что?

— А почему вы не замужем? — спросила Марина и вдруг поймала себя на том, что проявляет излишнее любопытство. В Европе не принято лезть в чужую душу и выворачивать свою. Она ждала, что Барбара замкнется или одернет. Но она вдруг сказала:

— Я не люблю мужчин.

— Почему? — не выдержала Марина.

— Потому, что я люблю женщин.

Марина замерла, как будто подавилась. Она, естественно, слышала о лесбиянках, но никогда не видела их так близко возле себя. В глубине души ей казалось, что лесбос — это осложнение, возникшее от плохого опыта с мужчиной. Женщина боится повторить плохой опыт и избегает мужчин. Это как страх руля после аварии. Западные женщины боятся обжечься в очередной раз. А русские женщины готовы обжигаться постоянно.

— А мужчина у вас был? — осторожно проверила Марина.

— Да. Вернер.

— И чего?

— У него было двое детей.

— А жена? — удивилась Марина.

— Жена его бросила и оставила детей с ним.

— Насовсем?

— Нет. На время. Мы жили у него вчетвером: он, я и двое детей. Они меня возненавидели.

— Это понятно.

— Понятно, но не приятно. Мальчик говорил мне: уходи!

— А сколько лет мальчику?

— Шесть.

— А дальше?

— Я ушла. Мне было очень трудно. Я уже ничего не хотела, ни Вернера, ни его детей.

— А сколько вам было лет?

— Восемнадцать.

Марина представила себе юную девчонку, которая как в кипяток окунулась в обслуживание чужих детей и в их ненависть. Никакой любви не захочешь.

— Вернер и все? — спросила Марина, отмечая похожесть. У нее был Учитель — и все. Неужели и здесь то же самое?

— Был еще один. Райнер. Мы с ним работали.

— Где?

— В ратуше.

— В церкви? — удивилась Марина.

— Нет. Это как ваш исполком.

— А откуда вы знаете про исполком?

— Я училась в Москве. Изучала русский язык.

Марина вдруг отметила, что Барбара свободно говорит по-русски, с легким акцентом, как прибалтка.

— А что вы делали в ратуше?

— Занимались культурой. Райнер был мой начальник.

— Чиновник, значит, — догадалась Марина.

— И что? Это совсем не важно, чем человек занимается. Главное — какой он сам. Разве нет?

— А какой он был сам?

— Скользующий. Не берущий ответственности.

Марина догадалась: скользующий — это скользкий. Приходил, ел, обнимал и уходил. И никаких перспектив.

— Я уехала на каникулы в Исраэль, — продолжала Барбара. — И встретила там Яхель.

— Яхель — это женщина? — спросила Марина.

— Ну да... Еврейка.

— Молодая?

— Не очень. Ей было за пятьдесят лет.

— А зачем вам старая еврейка? Нашли бы молодую...

— Когда я влюбляюсь, остальное не имеет значения.

— И что Яхель? Она была лесбиянкой?

— Бисексуал.

— Но ведь и вы тоже получается би. С теми и с другими.

— Нет. Я поняла с Яхель, что мужчина меня совсем не интересует больше. Я вернулась и сказала Райнеру, что у меня с ним все! У меня есть Яхель.

— А он?

— Ничего. Сказал: ну, хорошо...

По-русски это называется: баба с воза, кобыле легче.

— Вечером я позвонила Яхель и сказала: я порвала с Райнером, теперь я — только твоя.

Барбара замолчала.

— А она? — подтолкнула Марина.

— А она ответила: ты — немка. Я ненавижу немцев за Холокост. Я ненавижу немецкий язык и немецкий акцент. Не звони мне больше никогда. — И бросила трубку.

— А разве вы немка? — спросила Марина.

— Да. Мои родители живут в Гамбурге.

— А что вы делаете во Франции?

— Здесь у меня работа. Европейцы живут там, где есть работа. А русские — там, где жилье.

— Значит, ни Райнер, ни Яхель? — подытожила Марина.

— Только синхронный перевод...

— А у меня скрипка.

Они полуулыбнулись друг другу одинаковыми полуулыбками, ощущая общность судеб. Это объединяло. Сплошная работа — и никакой любви.

Барбара включила магнитофон. Зазвучала музыка, похожая на вальс Штрауса. Марина прикрыла глаза, казалось, что машина скользит в ритме вальса.

Въехали в город.

Марина никогда в своей жизни не видела ничего подобного. Никакого современного строительства, только строения одиннадцатого века. И в них живут люди.

Барбара пояснила, что начинка домов — современная: электричество, канализация, отопление — все удобства. Но дизайн — прежний. Старину не трогают. Старина, подлинность — это и есть дизайн. Люди практически живут в музеях.

От домов к шоссе пролегала каменная ложбинка.

— А это что? — не поняла Марина.

— Сток для нечистот, — сухо объяснила Барбара.

— Прямо посреди города?

— Ну не сейчас же... — успокоила Барбара. — В глубокой древности.

— Прямо вот так? Дерьмо посреди улиц?

— Ну конечно...

Марина задумалась: антисанитария и вонь. Не такое уж удовольствие жить в одиннадцатом веке. Все же цивилизация — полезная вещь. Но те, из одиннадцатого века, привыкли, наверное. Так же через десять веков будут удивляться чему-нибудь из нашей жизни. Чему?

Гостиница — серое, длинное строение — походила на сарай.

— А что здесь было раньше? — спросила Марина.

— Сарай для мутонов.

Марина догадалась, что мутоны — это бараны, так у ее мамы была когда-то мутоновая шуба. И еще она знала поговорку: «ретурнон а нон мутон», что значило: вернемся к нашим баранам.

— Вы устраивайтесь, я вас внизу подожду, — предложила Барбара.

Марина отметила ее такт. Было бы действительно неудобно принимать душ, переодеваться, мелькать частями тела в присутствии постороннего человека, пусть даже женщины и даже лесбиянки.

— Я закажу что-нибудь горячее? Что вы хотите?

— Грибы или креветки.

На Западе Марина любила то, что редко ела дома.

Марина поднялась в номер. Быстро по-солдатски приняла душ, вымыла голову. В ванной стояло жидкое мыло, и Марина скользила руками по своему молодому крепкому телу. И тот факт, что ее ждала внизу лесбиянка, каким-то образом не то чтобы волновал, нет. Но влиял на ее отношение к своему телу. И духу. В конце концов у нее есть выбор. Можно перестать зависеть так унизительно от мужчины. А ведь ни от чего так не зависишь, как от смерти и от любви.

Через двадцать минут Марина и Барбара сидели за столом гостиничного ресторана. Стены ресторана были закопченными. В сводчатый потолок вбиты крюки.

— А крюки зачем?

— Для туш мутонов.

— А побелить нельзя? — спросила Марина.

— А зачем? — не поняла Барбара.

И в самом деле. В этой закопчености — время. А в побелке — отсутствие времени.

Официант принес грибной суп-пюре в глубокой глиняной чашке. Сверху — щепотка укропа, зеленый островок на светло-бежевом. В нос ударил грибной чистый дух. Марина погрузила ложку, попробовала. Закрыла глаза. Счастье, вот оно...

Она ела медленно, наслаждаясь.

Официант принес лобстеры на гриле и зеленый салат. Лобстеры пахли йодом, водорослями, здоровьем.

Лиловый костюм

Марина ела изысканную еду, при этом ощущала свои чистые волосы, пахнущие хвойным шампунем. Запахи в первую очередь несут информацию хорошей и плохой жизни. Хорошая жизнь пахнет хвоей и йодом. А плохая... Но зачем сейчас о плохой?

Барбара была немногословна. Она красиво ела, сосредоточенно расплачивалась. Брала у официанта какую-то бумажку.

Марина догадалась: расплачивался фестиваль. Барбара потом сдаст все бумажки в бухгалтерию и получит обратно все деньги. Очень удобно.

Казалось, что весь город собрался в зал под открытым небом. В одиннадцатом веке эти земли принадлежали римлянам. Должно быть, здесь своего рода колизей: каменные лавки полукругом.

В зале было много армян, приехавших из России. Если можно так сказать: русских армян. Марина заметила, что армяне предпочитают эмигрировать во Францию. Должно быть, у них тут сильная диаспора и взаимоподдержка.

Марина вскинула свою скрипку и стала играть. Музыка — одна для всех. Но люди — разные. Одни слушают непосредственно музыку, другие думают в это время о своей жизни. Однако молчание — общее. Музыка объединяет души в одну.

Марина играла концерт Брамса — сочетание мелодии и техники. Когда закончила и опустила скрипку, зал взорвался аплодисментами. Все смотрели на Марину с восхищением. Это она заставила их пережить высокие минуты.

Марина сдержанно кланялась. И совершенно невозможно было в эту минуту представить, что она одна и одинока.

Барбара восторженно глядела на Марину, улыбалась, светилась глазами и зубами и была похожа на веселого волка. На хищника в хорошем настроении. Она сложила два пальца в кольцо, дескать: хорошо, о'кей, формидабль.

После концерта давали банкет. Устроители раскинули столы под открытым небом. Люди бродили между столами, брали бокалы и тарелки с закусками.

Стемнело. Зажгли прожектора. Марине казалось, что она — на сцене Большого театра. Дают историческую оперу. На сцене — солисты и массовка.

Молодые тусовались с молодыми, возрастные — с себе подобными. Марина стояла рядом с Барбарой. Иногда к ней подходили горожане из разных тусовок, задавали вопросы. Барбара переводить отказывалась.

— Вы видите, я ем... — отшивала она. Но Марина понимала: Барбару раздражает ее публичность. Она хотела Марину только для себя. Так ведут себя дети на прогулке. Не разрешают матери заговаривать с посторонними.

Барбара пила пиво из большой кружки, вокруг нее витали напряжение и агрессия. Это было давление своего рода. Марина не выносила, когда что-то решали за нее. Но положение было безвыходным: или ссориться с Барбарой, или терпеть. Марина выбрала второе. Постепенно вокруг них образовался вакуум. Люди разлетались от Барбары, как мотыльки от запаха хлорофоса.

— Ты хочешь иметь детей? — спросила Марина, перейдя на ты.

— Нет! — отрезала Барбара.

— Почему? Ты же женщина...

— Я работаю. Кто будет сидеть с ребенком?

— Но разве твоя работа важнее ребенка?

— Я хочу жить за свой счет. И все. Некоторые женщины, как куклы, сидят при мужьях. Пользуют их. Разве это не проституция?

— Это взаимное пользование, — возразила Марина.

— Мне никто не нужен, и я ни от кого ничего не хочу.

— А женщина тебе нужна?

— Такая же самостоятельная, как я.

— Значит, ты — феминистка, — определила Марина.

— Но ведь ты тоже живешь как феминистка. Зарабатываешь своим трудом и не живешь на средства мужчин.

Марина никогда не рассматривала свою принадлежность музыке как заработок. Это был образ жизни. Она ТАК жила, а ей еще за это платили деньги.

Однако идея Барбары была ясна: не КАК заработать, а НЕ ЗАВИСЕТЬ.

Барбара стояла с кружкой пива — прямая, жесткая, непреклонная, как бетонная плита, — сама независимость, символ независимости.

— Я завтра иду на митинг, — сообщила Барбара. — Хочешь, пойдем вместе. А если не хочешь, можешь не ходить.

— Какой митинг?

— За права сексуальных меньшинств.

— А зачем митинговать? — спросила Марина. — Возьми свою подругу, иди с ней домой. Запритесь и делайте, что хотите. Зачем кому-то что-то доказывать? Личная жизнь никого не касается.

Барбара молчала, может быть, раздумывала.

— Я завтра хотела поискать лиловый костюм, — вспомнила Марина. — Ты сходишь со мной?

— Нет. Это не входит в мои обязанности.

— А если я тебя попрошу?

— Я не люблю ходить по магазинам. Ненавижу.

Ненависть к магазинам — мужская черта. Марина подумала, что в Барбаре избыток мужских гормонов.

— А давай так: сначала на митинг, потом по магазинам, — сообразила Марина.

— Ты торгуешься, — упрекнула Барбара.

— Я не знаю языка и хочу костюм. В этом дело. Я ищу выход.

К ним подошла блондинка неопределенного возраста, необычайно доброжелательная. Марину буквально окутало ее доброе расположение. Блондинка протянула руку и представилась:

— Люси. Я славист.

— Вот тебе и выход, — нашлась Барбара.

Барбару раздражало то, что подошла Люси и надо будет делить с ней Марину. Но радовало то, что завтра можно будет спихнуть русскую. Пусть сами едут и ищут свой лиловый костюм. Хотя вряд ли найдут.

Барбара входила в сексуальное меньшинство. Пусть сексуальное, но меньшинство. Она чувствовала себя изгоем среди нормальных, обычных, привычных, и ощущение тяжести, иначести заставляло ее напрягаться. Напряжение вело к озлоблению. Состояние одиночества и агрессии стало привычным. Поэтому она не любила людей, и больше всего ей нравилось быть одной.

Марина в эти тонкости не вникала, просто видела перед собой то бетонную плиту, то волка в хорошем настроении, то в плохом. Глядя на Барбару, она училась, как НЕ НАДО СЕБЯ ВЕСТИ. И вместе с тем она ощущала своим глубинным нутром ее человеческую честность и чистоту. А неодинаковость со всеми ей шла. Без тараканов в мозгу Барбара была бы проще.

Утром Люси подъехала к гостинице на ярко-красном «рено», ровно в десять утра, как договорились. И Марина тоже вышла из отеля в десять утра. Марина была точна и требовала точности от других. Люси — скрупулезно точна и была рада встречать это в других. Они обрадовались друг другу, как родные.

Такие совпадения подсказывали Марине: твой это человек или нет. Если бы Марина вышла в десять и ждала полчаса, то за эти полчаса вынужденного временного провисания она возненавидела бы Люси и прокляла бы всю Францию. Заставлять ждать — это форма хамства или душевная глухота. Хамства Марина не заслужила, а душевную глухоту презирала. Но они совпадали. Значит, Люси — ее человек.

Марина села в машину, и они тут же тронулись с места.

— Я знать один бутик, pres a-ля мэзон.

Марина поняла половину сказанного.

Словарный запас у Люси был большой, но она не умела правильно соединять слова. Не знала падежей, предлогов. Употребляла глаголы только в инфинитиве, без спряжений. Но тем не менее все было понятно. Марина ее понимала и по ходу давала уроки русского языка.

— Я жить верх, — сообщила Люси.

— Я живу наверху, — поправила Марина.

— О! Да! — обрадовалась Люси, что означало «спасибо».

Город проехали быстро и свернули на дорогу, ведущую в горы. Дорога шла наверх, но не круто, а спокойно. Серпантином.

Стоял сентябрь. Бабье лето, золотая осень. Склон — пестрый от красок, горит золотом и багрянцем, густой зеленью. Марина подумала: сентябрь в пересчете на человеческую жизнь равняется примерно сорока пяти годам, когда плоды уже собраны. Женщина в сорок пять еще красива, еще не сбросила боевого оперения, еще горят глаза и кровь, но мало осталось впереди. Так и деревья: они еще горят теплыми и благородными красками, но скоро все облетит и выпадет первый снег. Потом второй.

Марина подумала: до сорока пяти — рукой подать. И как все сложится — неизвестно. Может быть, никак не сложится. Одна только скрипка, на том свете и на этом.

— Я жить в Париж, — сказала Люси. — Муж развод. Я купить дом верх, монтань.

Марина догадалась: Люси жила в Париже, потом развелась с мужем и купила дом в горах. А может быть, у нее два дома: в Париже и в горах. Как спросить? Никак. Какая разница...

— Когда развод? — спросила Марина. — Давно?

— Пять. — Люси показала ладонь с вытаращенными пальцами.

Пять лет назад — поняла Марина.

— А сколько вам сейчас?

— Пять пять. — Люси написала в воздухе 55.

Значит, они разошлись в пятьдесят. Остаться одной в таком возрасте — мало радости. Но у Люси лицо было ясным, голубоглазым, круглым, как лужайка под солнцем.

Не страдает — поняла Марина. Вспомнила свою тетку, мать сестры, которая в аналогичном случае страдала безмерно и дострадалась до инфаркта. А эта сидит себе: личико гладкое, глазки голубые, как незабудки. Может, она своего мужа терпеть не могла? Может, сама и бросила...

— Вы любили мужа? — уточнила Марина.

— О! Да! Много любить...

— Кто ушел: он или вы?

— Он! Он! Любить Вероник!

— Вероник молодая?

— О! Да! Тре жен е тре жоли. Формидабль!

Марина узнала слово «формидабль» — то есть потрясающая.

Значит, муж ушел к молодой и прекрасной Вероник. Тогда Люси все бросила: прошлую жизнь, Париж, купила дом высоко в горах, подальше от людей. Как бы ушла в монастырь.

Машина остановилась возле маленького придорожного магазинчика. Марина подумала: в эти отдаленные точки почти никто не заходит, и здесь можно найти такое, чего нет нигде. Как говорила мама: черта в ступе.

Дрожа от радостного нетерпения, Марина вошла в лавочку. Но увы и ах... Лилового костюма не было в помине. Висели какие-то одежды, как в Москве на ярмарке «Коньково», турецкого производства. Даже хуже. Да и откуда в горах

лиловый костюм? Такие вещи — в крупных городах, фирменных магазинах, в одном экземпляре. Жаль. И еще раз жаль.

Но все-таки Марина высмотрела черные джинсы и шерстяную кофту шоколадного цвета. На кофте были вышиты наивные цветочки и листики. Такое впечатление, что эту кофту связали местные крестьяне и они же вышили разноцветным гарусом.

Марина тут же натянула джинсы и кофту, а московскую одежду продавщица сложила в большой пакет.

— Тре жоли! Формидабль! — воскликнула Люси.

Марина поняла, что это одобрение.

Вышли к машине. Поехали дальше.

— Много красиво! Стиль Вероник!

— Ты любишь Вероник? — удивилась Марина.

— О! Да! Много любить. Вероник — коме анималь.

Марина знала, что анималь — животное. Значит, одно из двух. Вероник — неразвита, примитивна, как животное. Либо — естественна, как зверек. Безо всяких человеческих хитростей и приспособлений. Дитя природы.

— Жан-Франсуа и Вероник уезжать три года Йемен. Оставлять Зоя меня.

— Жан-Франсуа, это кто?

— Мари. Муж.

— А Зоя?

— Анфан. Ребенок. Так?

Значит, Вероник и Жан-Франсуа уезжали зачем-то в Йемен на три года и оставили Люси своего ребенка. Как на бабушку. Никакой ненависти. Одна разросшаяся семья.

У него нет ненависти — это понятно: он ушел к молодой, живет новую жизнь, испытывает новое счастье. А Люси... Почему она согласилась взять их ребенка и забыть о предательстве? Может быть, пытка одиночеством еще хуже? Быть нужной в любом качестве?

— У вас есть свои дети? — спросила Марина.

— Два. Большие. Жить Париж.

Могла бы взять собственных внуков.

Из кустов вышла собака и остановилась на дороге. Она была рыжая, крупная, неопределенной породы. Стояла, перегородив дорогу, и спокойно, без страха смотрела на приближающуюся машину.

Люси вынуждена была остановиться. Она, перегнувшись, открыла заднюю дверцу. Собака тут же запрыгнула на заднее сиденье и уселась с таким видом, как будто они с Люси договорились тут встретиться. В машине запахло мокрой собакой.

— Это твоя собака? — спросила Марина.

— Нет. Она теряться. Ждать помощь.

— Что же делать?

— Звонить телефон. Ждать хозяин, — спокойно объяснила Люси.

Марина посмотрела на собаку. На ее шее был кожаный ошейник, на ошейнике — медная табличка. На табличке, должно быть, все данные, включая телефон хозяев.

Собака дрожала от холода и стресса. Возможно, она потерялась давно — сутки или двое — и столько же не ела.

Собака посмотрела на Марину, как будто спросила: ну, что ждем? Поехали?

Машина тронулась вперед, к дому Люси.

Проехали церквушку. Еще вверх — и открылась плоская терраса с аккуратной зеленью. На ней — каменный дом с широкими крыльями. Приехали.

Люси первым делом выпустила собаку и тут же пошла звонить.

Потом быстро соорудила кастрюлю похлебки, нарвала туда ветчины. Поставила перед собакой. Собака опустила морду, живот ее судорожно ходил.

Марина ощутила глубокое удовлетворение, полноту бытия. Какое счастье — кормить голодное зависимое существо. В глазах Люси стояли виноватые слезы. Видимо, она чувствовала то же самое.

Центральная комната в доме была очень большой, около ста метров. Белые стены, ломаные пространства, живопись, низкая белая мебель. Такой интерьер Марина видела только в суперсовременных каталогах.

— Проект Франсуа, — объяснила Люси. — Франсуа архитектор.

Все ясно. Франсуа стер десять веков, даже одиннадцать. Оставив фасад древним, он перестроил всю внутренность дома, создав интерьер двадцать первого века.

Марина сначала растерялась внутри таких белых пустот. Потом быстро привыкла. А через пару часов уже не хотела ничего другого. Как будто срослась со свободой и чистотой. Это тебе не крюки для мутонов.

Люси сварила крепкий душистый кофе, что-то грела, ставила — все во мгновение, весело, вкусно. Особенно хорош был утиный паштет, который во Франции перетирают со сливочным маслом. И еще горный мед. Он благоухал на весь дом, перебивая кофейный дух.

Марина глубоко наслаждалась едой, тишиной, покоем, а главное — характером Люси. Бывают же такие люди: О! Да! Все им хорошо. Муж ушел — хорошо. Соперница — формидабль. Да еще и Зоя.

— Зоя — русское имя, — заметила Марина.

— Да! Вероник русские корни.

— Ты любишь Зою? — спросила Марина.

Люси даже не смогла сказать: О! Да! Замахала руками. Ее чувства были сильнее, чем любые слова.

— А она тебя?

— Всегда целовать...

Маленькая девочка обвивает шею и целует, обдавая земляничным запахом цветущего тельца. Влажное прикосновение ангела.

Раздался звонок.

Люси подошла, что-то проговорила. Положила трубку.

Марина хотела спросить: кто это? Но удержалась.

— Это Ксавье, — сказала Люси, будто прочитала мысли.

Марина хотела спросить: кто такой Ксавье? Но тоже удержалась.

— Мон ами... — объяснила Люси.

Любовник — догадалась Марина. Вот тебе и ответ на все вопросы, на все «О!» и «Да!».

Люси — не просто брошенка и не просто бабка. Она живет в любви и ласке, работает славистом в маленьком издательстве. У нее есть дело и личная жизнь — полноценное существование. Когда человек существует полноценно — его психика не деформирована.

— Ксавье живет в Париже?

— Но. Он бросать Париж и купить дом тут. Десять минут.

Марина сообразила: Ксавье бросил Париж и помчался следом, купил дом в десяти минутах ходьбы.

— А почему вы не взяли его сюда? Места много.

Марина обвела рукой просторную белую комнату.

— Но. Но. Но. — Люси категорически подняла ладонь. — Я хотеть один. Ксавье — лыжи, гулять, приходить-уходить... Люси — один. Баста!

Все ясно. Люси хочет жить одна в своей скорлупе, а рядом с ней, как спутники вокруг планеты, — близкие люди: Жан-Франсуа, Вероник, Зоя, Ксавье, выросшие дети... Она всем дает себя по кусочку. Но не целиком. Целиком — никому.

Через час появился улыбающийся Ксавье. Не вытерпел, пришел посмотреть на русскую.

Ксавье — стройный, с длинными волосами и шелковым платком на шее, но видно, что за шестьдесят. Общая улыбчивость и слабость.

Марине показалось, что он хорошо поет. Тенором. У него был вид человека из хора. Было ясно: он любит Люси последней любовью, не мучает, — тихая пристань, — и тем не интересен. Интересны те, кто мучает. Больше натяжения. Однако в шестьдесят натяжения вредны для здоровья. Поднимается давление. Можно умереть.

Ксавье поулыбался вставными зубами и куда-то удалился. Видимо, Люси поручила ему собаку.

***

За собакой приехали вечером. Хозяйка собаки — экстравагантная дама в пестром — показалась Марине пьяной вдрыбадан. Собака тем не менее была счастлива и пыталась допрыгнуть хозяйке до лица. Потом они уехали.

— Ее надо лишить родительских прав, — сказала Марина.

— Она ее терять снова, — предположила Люси. — Бедный собак.

Дорога и склон утонули во мраке.

Решили не возвращаться в город, отложить поездку до утра.

Люси набрала номер и стала говорить по-французски. Потом передала трубку Марине.

— Барбара. Я предупредить, — сказала Люси.

— Это я, — сказала Марина в трубку.

Барбара отозвалась легким голосом, как всплеском. Она сообщила, что завтра они должны встретиться со школьниками старших классов. Люси привезет ее прямо к школе, она знает.

Голос Барбары звучал нежно, мелодично. Марина, работающая со звуком, очень ценила звук, даже если это голос по телефону.

Барбара произносила обычные слова, но казалось, что слова — только шифр, за которым кроется глубокий значительный смысл.

Люси принесла красное вино. Разлила в тяжелые хрустальные стаканы. Произнесла:

— Четыреста метр уровень моря.

— Четыреста метров над уровнем моря, — поправила Марина.

— Да. Так.

Марина выпила за высоту.

На столике стояла рамка из белого металла с портретом мужчины. Синие глаза как будто перерезали загорелое лицо.

— Жан-Франсуа, — отозвалась Люси.

Жан-Франсуа смотрел Марине прямо в глаза. Вот такого бы встретить на вершине горы или у подножия. Но у него Вероник, Люси. Все места заняты.

Значит, что ей остается? Женатый маэстро в Америке и лесбиянка в городке одиннадцатого века.

Вот и весь расклад.

Утром Марина проснулась как обычно, в восемь часов по-московски. Здесь это было шесть утра.

Она спустилась с лестницы, вышла через дверь, ведущую на заднюю сторону двора, и увидела горы, заросшие осенним лесом, и круг солнца над горами. Солнце было молодое, желтое, не уставшее. Планета. Холмы намекали — как формировалась земля, когда она была молодой, даже юной и только формировалась.

Воздух казался жидким минералом и вливался в легкие сам по себе. Его не надо было вдыхать. А если вдыхать, то слегка. Цветы пахли настойчиво, даже навязчиво, заманивая пчел. Все напоено ароматом, свежестью — вот уж действительно, раскинь руки и лети. Воздушные потоки не дадут упасть.

Марина подумала: если бы с ней была скрипка, она сейчас вскинула бы ее к щеке и заиграла мелодию, которую никто не писал, — она изливалась бы сама. А горы бы слушали. И цветы, и пчелы — и все бы слилось в один звук — время и пространство.

Марина раскинула руки и проговорила:

— Я клянусь тебе, моя жизнь...

В чем? Она и сама не знала.

Люси ждала почту. Через час на маленькой желтой машине подъехал юркий почтальон и передал Люси большой конверт из издательства. Люси расписалась на каком-то листке. Почтальон, уходя, кивнул Марине. Марина кивнула в ответ. Они не были знакомы, но здесь, в горах, это не имело никакого значения. Все условности городской жизни здесь были лишними. Действовали космические масштабы: планета Солнце и планета Земля. Человек и человек.

Красный «рено» вез Марину обратно.

Люси указала в сторону дома, стоящего на склоне. Дом никак не относился к одиннадцатому веку. Скорее к двадцать первому. Дом будущего. Вневременной инопланетный дом. Были видны желтые медные трубы, идущие вдоль дома. Все техническое обеспечение не спрятано, а наоборот, демонстрировалось и служило дизайном. Это в самом деле выглядело неожиданно, дерзко, талантливо. Как если бы женщина явилась в декольте, но демонстрировала не грудь, а ягодицы.

— Дом Франсуа, — объяснила Люси. — Он купить земля и строить. Рядом с я.

Утренние лучи прорезали холмы. Что-то высвечивалось, что-то оставалось в тени.

«Интересно... — подумала Марина. — Совсем не по-русски. Вернее, не по-советски. Совки — это когда все ненавидят всех. Старая семья порывает с отцом-предателем, но и победившая жена тоже ненавидит старую, находя в ней бросовые качества и тем самым оправдывая свой грех разлучницы».

А здесь — просто разросшаяся семья. Жан-Франсуа любит Вероник как женщину. Но он 25 лет прожил с Люси, врос в нее и не может без нее.

Барбара стояла возле школы в лиловом костюме. Как будто дразнила. Издалека костюм показался Марине еще прекраснее. Она поняла, что купит его. Или отберет. А если понадобится — украдет. Марина умела хотеть и добиваться желаемого. Так было с музыкой. Так было с мужьями.

Увидев Марину, Барбара засветилась, как будто в ней включили дополнительное освещение. Марина тоже обрадовалась, но это была реакция на чужую радость. Ей нравилось нравиться. Она привыкла нравиться и поражать.

Барбара обняла Марину и прижала. От нее ничем не пахло. Видимо, Барбара не признавала парфюмерию. Только гигиену. Мужская черта. Должно быть, Барбара исполняет роль мужчины в лесбийской паре.

В Марининой голове мягко проплыла мысль: «А как это у них происходит?» Ей было это любопытно. Но дальше любопытства дело не шло. Барбара ей не нравилась. Слишком категорична. А категоричность — это отсутствие гибкости, дипломатии и в конечном счете — отсутствие ума.

В Барбаре не было ничего женского, но и мужского тоже не было. От нее не исходил пол. Просто существо. Такое же

Лиловый костюм

впечатление на Марину производил Майкл Джексон: не парень и не девушка. Существо, созданное для того, чтобы безупречно двигаться. А Барбара — чтобы синхронно переводить, всех ненавидеть и мечтать о любви в своем понимании.

— Ты купила костюм? — спросила Барбара. Помнила, значит.

— Нет, — ответила Марина. — Но куплю.

Они прошли в школьный зал. Там уже собрались дети.

Школа была современной, построенной из блоков. И дети тоже современные, веселые, с примочками: у кого косичка свисает с виска, у кого голова выбрита квадратами.

Марина видела, что эти дети ничем не отличаются от московских старших школьников. Книг не читают, про Чайковского не слышали, про Ельцина тоже. Только компьютер и секс.

Марина подумала вдруг: неужели книги и симфоническая музыка не понадобятся следующему поколению? Только виртуальная реальность...

Дети сидели за столами, выжидали.

Воспитательница — элегантная, сосредоточенная, никакой халтуры. Будет халтура — потеряет работу. В городе рабочих мест почти нет, и потерять работу — значит потерять средства к существованию, а заодно и статус. Воспитательница сидела с прямой спиной, зорко сторожила свой статус.

Барбара сидела в заднем ряду, за спинами учеников — рисовалась благородным лиловым контуром на фоне стены.

Марина решила сыграть им Глюка — беспроигрышную тему любви Орфея и Эвридики. Она «настроила свое сердце на любовь» и понеслась вместе с мелодией.

Дети замолчали из вежливости. Потом кто-то послал кому-то записочку. Кто-то сдерживал смех. Когда нельзя смеяться, бывает особенно смешно. Но кто-то — один или два — понесся вместе с музыкой, вместе с Орфеем.

Воспитательница стреляла глазами, строго следя за дисциплиной. Она не могла полностью отвлечься на музыку. Или не умела.

Марина всегда стремилась подчинить аудиторию. Но эта аудитория была не в ее власти. Поэтому она играла только себе и Барбаре. А остальные — как хотят.

Барбара смотрела перед собой в никуда. Ее лицо стало беспомощным и нежным. Нежная кожа, как лепесток тюльпана. Синие глаза с хрустальным блеском. Золотые волосы, как спелая рожь. И вся она — большая, чистая и горячая — как пшеничное поле под солнцем.

Барбара на глазах превращалась в красавицу, больше чем в красавицу. Сама любовь и нежность. Вот такую Марину-Эвридику она готова была любить с не меньшей силой, чем Орфей. И спуститься с ней в ад или поехать в Москву, что для западного человека — одно и то же.

Марина объединяла в себе дух и плоть. Бога и Человека. То, что Барбара искала и не могла найти ни в ком.

Когда Марина опустила смычок, Барбара ее уже любила. И, как это бывает у лесбиянок, — сразу и навсегда.

Барбара была гордым человеком и не хотела обнаружить свою зависимость. И только сказала, когда они вышли из школы:

— Ну ладно, пойдем искать твой лиловый костюм...

***

Городок был маленький, поэтому удалось заглянуть почти во все магазины. Лилового костюма не было нигде. Где-то он, возможно, и висел, но поди знай где.

Марина отметила: на Западе всегда так. Все есть, а того, что тебе надо, — нет. К тому же на Западе постоянно меняется мода на цвет и крой. То, что было модно год назад, сейчас уже не производят.

Устав, как лошади, зашли в кафе.

Была середина дня. Марина хотела есть. Выступление, погоня за костюмом взяли много энергии. Требовалась еда на ее восстановление.

Заказали гуся с капустой.

Гусь как гусь, но капуста — фиолетовая, с добавлением меда, каких-то приправ... Марина отправила в рот первую порцию и закрыла глаза от наслаждения.

— Ты слишком серьезно относишься к еде, — заметила Барбара.

— Я ко всему отношусь серьезно, — отозвалась Марина, и это было правдой.

После гуся принесли десерт: пирог с яблоками под ванильной подливой. Для того чтобы приготовить такое дома, надо потратить полдня.

— Ну что, была на демонстрации? — поинтересовалась Марина.

— Народ не собрался.

— И что ты делала?

— Мы дискутировали возле магазина.

Марина заподозрила, что дискуссии тоже не было. На-

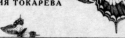
род шел мимо, а Барбара и еще несколько невропаток что-то выкрикивали в толпу. Марина решила промолчать, не соваться в святая святых.

— Можно мне померить твой лиловый костюм?

— Прямо здесь? — удивилась Барбара.

— Нет, конечно. Можно зайти к тебе или ко мне.

Отправились к Барбаре, поскольку это было ближе.

«Отдаст, — думала по дороге Марина. — Надо будет расплачиваться. Хорошо бы деньгами...»

Квартира Барбары — из четырех комнат, похожих на кельи. Каменные стены, маленькие окна. Но много цветов в кадках и горшках. Стильная низкая мебель.

Барбара поставила на стол коньяк. Марина заметила, что коньяк грузинский.

— Откуда это у тебя? — удивилась Марина.

— Грузины приезжали на фестиваль в прошлом году.

Марина поразилась, что коньяк стоит у нее в течение года. Значит, пила раз в месяц по рюмочке. Экономила.

— Снимай костюм, — напомнила Марина.

Барбара стала стаскивать через голову. Марина обратила внимание, что ее подмышки не побриты. Курчавились рыжие волосы.

— А почему ты не бреешь подмышки? — поинтересовалась Марина.

— Зачем? Природа сделала так, с волосами. Значит, волосы зачем-то нужны... Я привезла из Исраэля специальную мазь. Она убивает микробы, но не блокирует потоотделения. Потеть полезно... Уходят шлаки, организм очищается...

Барбара осталась в лифчике и трусах-бикини. У нее была тяжеловатая и крепкая фигура Венеры Милосской. Но сегодня такая фигура не в моде. Модно отсутствие плоти, а не присутствие ее. Единственно, что было красиво по-настоящему, — это запястья и лодыжки. Тонкие, изящные, породистые, как у королевы.

Марина ушла в ванную комнату и надела там костюм. Он как-то сразу обхватил ее плечи, лег на бедра. Обнял, как друг. Это был ЕЕ костюм — идучий и очень удобный. В таких вещах хорошо выглядишь, а главное — уверенно. Знаешь, что ты в одном экземпляре и лучше всех.

Марина вышла из ванной комнаты. Барбара оценивающе посмотрела и сказала:

— Ты должна купить себе такой же. В Москве.

— Я куплю его у тебя.

— Нет!

— Да!

— Но это мой костюм! — запротестовала Барбара.

— Будет мой. Я заплачу тебе столько, сколько он стоил новым.

— Но я не хочу!

Марина подошла к ней и положила обе руки ей на плечи.

— Ты действуешь как проститутка, — заметила Барбара.

— Проститутки тоже люди. К тому же я ничего не теряю. Только приобретаю.

— Что приобретаешь?

— Новый опыт и костюм.

— Ты цинична, — заметила Барбара.

— Ну и что? Я же тебе нравлюсь. Разве нет?

Барбара помолчала, потом сказала тихо:

— Я хочу тебя.

— В обмен на костюм?

— Ты торгуешься... — заметила Барбара.

— А что в этом плохого?

— Любовь — это духовное, а костюм — материальное. Зачем смешивать духовное и материальное?

Все имеет свои места. Все разложено по полкам. Немецкая ментальность. Русские — другие. Они могут отдать последнюю рубашку и ничего не захотеть взамен. Широкий жест необходим для подпитки души. Душа питается от доброты, от безоглядности.

— Материальное — это тоже духовное, — сказала Марина.

Барбара смотрела на нее не отрываясь.

— Не будем больше дискутировать...

Легли на кровать.

Барбара нависла над Мариной и стала говорить по-немецки. Марина уловила «их либе...». Значит, она говорила слова любви.

Марина закрыла глаза. В голове мягко проплыло: «Какой ужас!» Она, мечтавшая о любви, ждущая любовь, оказалась с лесбиянкой. Гримаса судьбы. Дорога в тупик. И если она пойдет по ней, то признает этот тупик.

Она представила себе лицо Маэстро при этой сцене. У него от удивления глаза бы вылезли из орбит и стали как колеса. А отец... Он просто ничего бы не понял.

Барбара стала целовать ее грудь. Все тело напряглось и зазвенело от желания. Нет!

Марина резко встала. Подошла к столу. Налила коньяк. Пригубила. Держала во рту. Коньяк обжигал слизистую. Марина не знала, проглотить или выплюнуть.

Вышла в кухню, выплюнула. Сполоснула рот. Не пошло.

Марина оделась в свои московские тряпки. После костюма они казались ей цыганским хламом. Но черт с ним, с костюмом.

Барбара стояла у нее за спиной.

— Ты меня выплюнула, как коньяк, — сказала она.

— Не обижайся.

Марина подошла и обняла Барбару, без всякой примеси секса, просто как подругу. Барбара по-прежнему ничем не пахла — ни плохим, ни хорошим, как пришелец с другой планеты.

— Не обижайся, — повторила Марина. — Здесь никто не виноват.

Барбара тихо плакала.

Ей было тридцать три года, и никто ни разу не разделил ее любовь. Хотела ухватиться за русскую, но и та выплюнула ее, как грузинский коньяк.

Они стояли обнявшись — такие чужие, но одинаково одинокие, как два обломка затонувшей лодки.

Вечером пришли гости — пара лесбиянок. Подружки Барбары. Одна — лет пятидесяти, милая, домашняя, полнеющая.

«Шла бы домой внуков нянчить», — подумала Марина. Хотя какие внуки у лесбиянок.

Вторая — молодая, не старше тридцати. Спокойная, скромная, с безукоризненной точеной фигурой.

«Такая фигура пропадает», — подумала Марина.

Гости принесли пирог к чаю. Превосходный, с живыми абрикосами.

Барбара заварила жасминовый чай.

Сначала сидели молча. Рассматривали друг друга. Марина видела, что эта парочка ее оценивает: годится ли она в их ряды...

Марина смущалась, чувствовала себя не в своей тарелке. Она — другая. И она не хочет в их ряды. Никто никого не хуже. Но пусть все остается, как есть. Они — у себя. Она — у себя.

Постепенно разговорились.

— А вы когда впервые влюбились в женщину? — спросила Марина у молодой.

— В детском саду, — легко ответила молодая. — Я влюбилась в воспитательницу.

— А вы давно вместе?

— Четыре года, — ответила старшая.

— Это много или мало? — не поняла Марина.

— Это много и мало, — ответила молодая. — Мы хотим остаться вместе навсегда.

— А дети? — спросила Марина.

— Мы думали об этом, — мягко ответила старшая. — Криста может родить ребенка от мужчины. А потом мы вместе его воспитаем.

— С мужчиной? — не поняла Марина.

— Нет. Зачем? Друг с другом.

Барбара синхронно переводила не только текст, но и интонацию. И Марине казалось, что разговор происходит напрямую, без перевода.

— Хорошо бы девочку, — сказала Криста. — Но можно и мальчика.

— И кем же он вырастет среди вас?

— Это он сам решит, когда вырастет. А в детстве мы отдадим ему всю свою любовь и заботу.

— А разве обязательно рожать? — вмешалась Барбара.

— Функция природы, — напомнила Марина.

— Женщину рассматривают как самку. А можно миновать эту функцию. Другие пусть выполняют. Женщин много.

Марина рассматривала сине-белую чашку. В самом деле: принято считать, что женщина должна продолжать род. А если она играет как никто. Если это ее функция — играть как никто.

— А в старости? — спросила Марина. — Старость — это большой кусок жизни: 20 и 30 лет. Как вы собираетесь его провести?

Это был ее вопрос и к себе самой.

— Мы купим коммунальный дом, — ответила Барбара за всех. — Один на троих. Или на четверых. У каждой будет своя квартира. Мы будем вместе, сколько захотим. И отдельно. Мы будем собираться на общий ужин. Вместе ездить отдыхать...

Вместе и врозь. То же самое выбрала Люси. Вернее так: жизнь подсунула.

А может быть: вместе и врозь — это единственно разумная форма жизни в конце двадцатого века. И она напрасно ищет полного слияния и, значит, — полной взаимности.

— Коммунальный дом — это наша мечта, — созналась Барбара.

Коммунальный дом. Коммуна. Но не та, что была в совке, «на двадцать восемь комнаток всего одна уборная»... А та коммуна, которую все хотели, но никто не достиг. Только лесбиянки.

— А мне можно будет купить у вас квартиру? — спросила Марина.

Они улыбнулись улыбкой заговорщиков. Дескать, будешь наша — возьмем. Надо было вступить в их орден.

...Лесбийский мир, лесбийская культура, все это не вчера родилось, а еще при римлянах, которые основали этот город десять веков назад. Лесбос существует тысячелетия — чистота изнутри и снаружи, изящество, женская грудь, салфеточки, притирочки, никаких микробов, воспалений, не говоря уж о смертоносном СПИДе. Все стерильно, с распущенными шелковыми волосами, глубокими беседами, никто никого не обижает. Никакого скотства.

— Поедем танцевать, — предложила Криста.

Она была молодая, и ей хотелось двигаться.

В клубе за столиками сидели голубые и розовые. Это был специальный клуб по интересам.

Среди голубых — несколько пожилых с крашеными волосами. Большинство — молодые красавцы. Они как будто впитали в себя лучшее из обоих полов.

Лесбиянки были двух видов: быкообразные, с короткими шеями и широкими спинами. И другие — элегантные, пластичные, как кошки.

Играла музыка. Официанты кокетливо подавали напитки. Пузатый и женственный бармен потряхивал коктейль. Обстановка всеобщего праздника жизни.

В центре зала танцевали мужчины с мужчинами, женщины с женщинами. Они знакомились и приглядывались.

Барбара нашла столик подальше от музыки.

Марина заказала красное вино. Барбара — пиво. Криста —

воду. Каждый платил сам за себя. И все было в одной цене. Вино и вода стоили одинаково.

В Марине зрел главный вопрос, и она на него решилась:

— Мужчина может ласкать так же, как это делаете вы. К тому же у него есть... фаллос. Почему вы игнорируете мужчин?

Троица вздохнула. Это был вопрос дилетанта.

— Ты ничего не понимаешь, — спокойно разъяснила Барбара.

— А что понимать? — уточнила Марина.

— Надо БЫТЬ. Тогда поймешь.

Кристу пригласила лесбиянка из кошек. Они устремились в центр зала, навстречу ритмичным звукам. Марина не считала это музыкой. Так... Обслуга нижнего этажа.

— Женщина гораздо больше может дать другой женщине, — ответила на ее вопрос Барбара.

— Чего?

— Взаимной поддержки. Помощи: Мужчина грабит, а женщина собирает.

— Тогда почему ты не отдала мне лиловый костюм? — спросила Марина.

— Я не хочу, чтобы ты эксплуатировала мои чувства, — отрезала Барбара.

Марина вспомнила, как учитель эксплуатировал ее чувства. А она — его. И в этом было СЧАСТЬЕ. И в результате она стала НАСТОЯЩИМ музыкантом.

А у Барбары все кучками: твое, мое...

В зале появилась пожилая пара: муж и жена. Видимо, не поняли, куда пришли. Их пустили. Демократия. Каждый имеет право отдыхать, где хочет.

Марину пригласила быкообразная. Она была молодая, толстая, в короткой юбке.

Марина вышла в центр зала. Музыка заводила и подхлестывала. Марина танцевала лихо и весело. И вдруг, в какую-то секунду, она увидела себя со стороны, танцующую среди голубых и розовых. После своей главной, великой любви, после стольких ошибок и надежд — танец среди голубых и розовых, как танец в аду. Танец-наказание.

А Барбара смотрела и ревновала, и углы ее губ презрительно смотрели вниз.

В аэропорту они сдали вещи.

Надо было идти через паспортный контроль. Пересекать границу.

Барбара смотрела в пол. Страдала. Что-то ее мучило.

— Я хочу тебе кое-что предложить, — проговорила Барбара.

«Лиловый костюм», — с надеждой подумала Марина.

— Выходи за меня замуж! — Барбара вскинула глаза. Они были синие, страдающие, с осколками стекла.

Марина так давно ждала серьезного предложения. И вот дождалась. От Барбары.

— А кем ты будешь: мужем или женой? — спокойно спросила Марина.

— А какая разница? — растерялась Барбара.

— Ну как же... Если ты жена, то ты для меня старая. Тебе уже 33 года. Я в свои годы могу найти и помоложе. А если ты муж, то ты для меня бедный. И скупой.

— Почему бедный? У меня есть компьютер...

Марина не поняла: продолжает ли она в ее тоне или отвечает серьезно.

Барбара подняла лицо. По щекам шли слезы.

— Никогда не плачь при посторонних, — посоветовала Марина.

— Почему?

— Потому что слезы — это давление. Ты на меня давишь. А я хочу быть независимой. Как феминистка.

Барбара плакала молча. Оказывается, нельзя быть независимой, даже если откажешься от мужчин и будешь жить за свой счет. Невозможно не зависеть от двух категорий: от любви и от смерти.

— Ладно. — Марина обняла свою инопланетянку, лунную девушку. — Все еще будет: и у тебя, и у меня. Еще полюбим... И еще помрем.

Самолет оторвался от земли и стал набирать высоту. Внизу оставались чужая земля и плачущая женщина.

Прощай, Барбара, — противная и прекрасная, неуязвимая и ранимая, сильная и беспомощная, как ребенок.

Прощай, Люси, и четыреста метров над уровнем моря.

Самолет пробивал облака. Марина держала на коленях футляр со скрипкой. Держала и держалась, как Антей за Землю. Вот что давало силы, а остальное — как получится. Остальное — по дороге.

Она примет свою дорогу. Или будет желать невозможного, кто знает... Хотя, может, кто-то и знает...

Сентиментальное
путешествие

— Ой, только не вздумайте наряжаться, вставать на каблуки, — брезгливо предупреждала толстая тетка, инструктор райкома. — Никто там на вас не смотрит, никому вы не нужны.

Группа художников с некоторой робостью взирала на тетку.

ТАМ — это в Италии. Художники отправлялись в туристическую поездку по Италии. Райком в лице своего инструктора давал им советы, хотя логичнее было бы дать валюту.

Шел 1977 год, расцвет застоя. Путевка в Италию стоила семьсот рублей, по тем временам это были большие деньги. Восемь дней. Пять городов: Милан, Рим, Венеция, Флоренция, Генуя.

— Возьмите с собой удобные спортивные туфли. Вам придется много ходить. Если нет спортивных туфель, просто тапки. Домашние тапки. Вы меня поняли?

Лева Каминский, еврей и двоеженец, угодливо кивнул. Дескать, понял. Видимо, он привык быть виноватым перед обеими женами, и это состояние постоянной вины закрепилось как черта характера.

Романова тоже кивнула, потому что тетка в это время смотрела на нее. Смотрела с неодобрением. Романова была довольно молодая и душилась французскими духами. Душилась крепко, чтобы все слышали и слетались, как пчелы на цветок. Романова была замужем и имела пятнадцатилетнюю дочь. Но все равно душилась и смотрела в перспективу. А вдруг кто-то подлетит — более стоящий, чем муж. И тогда можно начать все сначала. Сбросить старую любовь, как старое платье, — и все сначала.

Фамилия Романова досталась ей от отца, а отцу от деда и так далее в глубину веков. Это была их родовая фамилия, не имеющая никакого отношения к царской династии. Прадед Степан Романов был каретных дел мастер. Все-таки карета — принадлежность высокой знати, поэтому, когда Романову спрашивали, не родственница ли она последнему царю, — делала неопределенное лицо. Не отрицала и не подтверждала. Все может быть, все может быть... И новая любовь, и благородные корни, и путешествие в Италию.

— Вообще Италия — это что-нибудь особенное, — сказала инструктор. — Там невозможно прорыть метро. Копнешь — и сразу культурный слой.

— Там нет метро? — удивился искусствовед Богданов. — Если я не ошибаюсь, в Италии есть метро.

Богданов был энциклопедически образован, знал все на свете. Впоследствии выяснилось, что он знал больше, чем итальянские экскурсоводы, и всякий раз норовил это обнаружить: перебивал и рассказывал, как было на самом деле. В конце концов советские туристы поняли, что им подсовывали дешевых экскурсоводов, по сути, невежд и авантюристов. И гостиницы предоставляли самые дешевые. И купить на обменянные деньги они могли пару джинсов и пару бутылок минералки.

Но это позднее. Это не сейчас. Сейчас все сидели и слушали тетку, которая желала добра и советовала дельные вещи, но при этом разговаривала, как барыня с кухаркой, которую она заподозрила в воровстве. В ее интонациях сквозили презрение и брезгливость.

Романова выразительно посмотрела на человека, сидящего напротив, как бы показывая глазами, что она не приемлет этот тон, но не хочет спорить.

Сидящий напротив, в свою очередь, посмотрел на Романову, как бы встретил ее взгляд, и Романова забыла про тетку. Ее поразил сидящий напротив. У него был дефицит веса килограммов в двадцать. Он не просто худ, а истощен, как после болезни. Волосы — цвета песка, темнее, чем пшеничные. Блондин на переходе в шатена. Песок после дождя.

Романова не любила черный цвет и как художник редко им пользовалась. Черный цвет — это отсутствие цвета. Ночь. Смерть. А песок имеет множество разнообразных оттенков: от охры до почти белого. И его волосы именно так и переливались. Глаза — синие, странные. Круглые, как блюдца. Именно такие глаза Романова рисовала своим персонажам, когда оформляла детские книжки. У нее мальчики, девочки и олени были с такими вот преувеличенно круглыми глазами.

Небольшая легкая борода, чуть светлее, чем волосы. Песок под солнцем.

«Как герой Достоевского, — подумала Романова. — Раскольников, который сначала убьет, а потом мучается. Всегда при деле. А так, чтобы жить спокойно, не убивая и не мучаясь, — это не для него».

Тетка тем временем заканчивала свое напутствие. Она сообщила вполне миролюбиво, что жить туристы будут по двое в каждой комнате: женщина с женщиной, а мужчина с мужчиной. И выбрать напарника можно по своему усмотрению.

— Это мы вам не навязываем, — благородно заключила инструктор райкома.

— Спасибо, — угодливо сказал двоеженец.

Богданов скептически хмыкнул. Тетка настороженно посмотрела на Богданова.

Романова огляделась. С кем бы она хотела поселиться? Женщины в большинстве своем были ей незнакомы, в основном — сотрудницы музеев. Одна — яркая блондинка — жена Большого Плохого художника. И карикатуристка Надя Костина, про нее все говорили, что она — лесбиянка. В Москве семидесятых годов это была большая редкость и даже экзотика. Романова предпочитала никак не относиться к этой версии. Каждый совокупляется как хочет. Почему остальные должны это комментировать? При этом Костина была выдающаяся карикатуристка, у нее был редкий специфический дар. Может быть, одно с другим как-то таинственно связано и называется «патология одаренности». Если, конечно, лесбиянство считать патологией, а не нормой.

Но может быть, все эти разговоры — сплетня. Сплетни заменяют людям творчество, когда у них нет настоящего. Когда их жизнь пуста. В пустой жизни и драка — событие. На пустом лице и царапина — украшение. Обыватели не любят выдающихся над ними и стремятся принизить, пригнуть до своего уровня. Так что вполне могло быть, что Надя Костина — жертва человеческой зависти.

Все поднялись со стульев. Костина подошла к Романовой и элегантно спросила:

— Тебе не мешает сигаретный дым?

— Нет, — растерянно сказала Романова.

— Тогда поселимся вместе. Не возражаешь?

Отвечать надо было быстро. Романова испугалась, что Надя заметит ее замешательство, и торопливо проговорила:

— Конечно, конечно...

— Какие духи... — Надя элегантно повела в воздухе сигаретой.

Ее слова и жесты были изысканны, но лицом и одеждой она походила на спившегося молодого бродягу. Кое-какие брюки, висящие мешком, пиджак она надевала на мужскую майку. Кепка. Сигарета. Если на нее не глядеть, а только слушать и смотреть ее работы...

Но придется глядеть и даже спать в одном помещении.

После собрания Романова поехала домой на такси, продолжая слушать в себе некоторое замешательство. Она уже ругала себя за то, что сразу не сказала: нет. Отказывать надо сразу и резко. Тогда не будет никаких обид. Но Романова не умела сказать: нет. Не водилось в ее характере такой необходимой для жизни черты. Этим все пользовались. Но и она, надо сказать, тоже широко пользовалась человеческой мягкостью и добротой. А ее много вокруг, доброты. Просто люди больше замечают зло, а добро считают чем-то само собой разумеющимся. Как солнце на небе. Добро заложено и включено в саму природу. Солнце светит, под солнцем зреет огурец на грядке. Человек его ест. Потом сам становится землей, и на нем (на человеке) зреют огурцы.

И никто никому не говорит «спасибо». Огурец не говорит «спасибо» солнцу, а человек не благодарит огурец. И земля не говорит человеку «спасибо», принимая его в себя. Все само собой разумеется.

Солнце светит потому, что это надо кому-то. Земле, например. Само для себя солнце бы не светило. Скучно светить самому себе. И Романова для себя лично ничего бы не рисовала. Она оформляет детские книжки, это надо детям.

В этих и других размышлениях Романова провела день до вечера, успевая при этом заниматься по хозяйству, и готовиться в дорогу, и отвечать на телефонные звонки.

Вечером позвонил детский писатель Шурка Соловей и попросил, чтобы вышла.

Романова когда-то года два назад оформляла Шуркину книгу, и они один раз переспали. От нечего делать. Шурка не годился в мужья. И в любовники тоже не годился. Почему? А черт его знает.

Была всего одна ночь, но они оба запомнили. Шурка много говорил, рассказывал все свое детство, выворачивал душу наизнанку, как карман. И они вместе рассматривали, перебирали содержимое этого кармана — откладывая ненужное в сторону. Что-то выкидывали вовсе. Вытряхивали, чистили Шуркину душу.

Производили генеральную уборку.

А утром жизнь растащила по своим углам. Была одна ночь, которая запомнилась. И туда, как к колодцу, можно было ходить за чистой водой. Зачерпнешь воспоминаний, умоешься — и вперед.

Шурка позвонил вечером и сказал:

— Спустись вниз.

Романова спустилась. Шурка сидел в машине. В старом «Москвиче».

Романова села рядом. В машине было неубрано, валялись железки, банки, тряпки. Это была одновременно и машина и гараж.

— У меня от поездки остались восемь тысяч лир, — сказал Шурка. — Это копейки. Самостоятельно на эти деньги ничего не купишь. Но доложишь и купишь.

Шурка вытащил из кармана сложенные бумажки. Протянул.

— Спасибо, — растроганно сказала Романова.

— Ты их только не прячь. Не вздумай совать в лифчик. Положи на виду. В карман плаща.

— А почему надо прятать? — удивилась Романова.

— Провоз валюты запрещен.

— Ты же говоришь, это копейки.

— Не имеет значения. Валюта есть валюта. Восемь лет тюрьмы.

Романова задумалась: с одной стороны — жалко отказываться от денег, а с другой стороны — не хочется в тюрьму.

— Да не бойся, — успокоил Шурка. — Если спросят, откуда, скажи: Шурка дал. Назовешь мою фамилию.

— А ты не боишься?

— Нет. Не боюсь.

— Почему?

— Не знаю. Лень мне бояться. На страх надо силы тратить, а я ленивый человек.

Шурка грустно примолк. То ли осуждал себя за лень, то ли скучал по Романовой, по той ночи, когда он был самим собой в лучшем своем самовыражении. Как хорошо и умно он говорил, как неутомимо и счастливо ласкал. Больше у него ни с кем так не получалось. Чего-нибудь обязательно не хотелось: то ли говорить, то ли ласкать.

В машине образовалась тишина. Но не тягостная, когда нечего сказать. А тишина переполненности, когда много слов замерли в воздухе и не движутся.

Смеркалось. По тропинке к дому шли мальчик и девочка, оба юные, тоненькие, как будто несли кувшин на голове. Боялись расплескать предчувствие любви.

Романова вгляделась и узнала свою дочь Нину. Она выскочила из машины и заорала:

— Нина! Я привезу тебе джинсы! Придешь домой, смеряй сантиметром: талию, бедра и расстояние от пупа до конца живота. Поняла?

Нина остановилась и замерла. Она боялась приближаться и идти мимо матери.

Шурка взял Романову за руку и затянул ее в машину.

— А дома ты не могла ей сказать? — с осуждением спросил Шурка.

— Могла. Но это была бы не я.

Вот это правда.

Романова делала в жизни много ошибок, потому что не умела терпеть и ждать. И если разобраться, вся ее жизнь была одна сплошная ошибка, не считая дочери и профессии. Тогда что же остается? Вернее, кто?

Самолет на Милан взлетал в семь утра. В аэропорт надлежало явиться за два часа. Значит, в пять.

Туристы стояли вялые, безучастные. Когда хочется спать, не хочется уже ничего. Природа пристально отслеживает свои интересы и моментально мстит за недостаток сна, еды, питья и так далее и тому подобное.

Сдавали багаж. И в этот момент произошло некоторое оживление. Старушка анималистка (рисовала животных для наглядных пособий и для детского лото) потеряла паспорт и начала его искать. Похоже было, что она оставила документ дома и поездка срывалась. Пограничники на слово не верят. Это граница. И кто может поручиться, что старушка — не работник ЦРУ. Зайчики, мышки — это так. Для прикрытия. А основная деятельность в другом. В подрыве социалистических устоев. Наверняка эта старушка из бывших. Иначе откуда эта аристократическая манера путешествовать в семьдесят. В семьдесят лет сидят дома и нянчат внуков, а то и правнуков.

Старушка (ее звали Екатерина Васильевна) судорожно рылась в чемодане. Она вспотела, была близка к апоплексическому удару. Двоеженец Лева Каминский взял сумку Екатерины Васильевны и вытряхнул всю ее на пол, на кафель аэропорта. Покатилась помада, заскользила расческа, выпали смятый носовой платок, мелочь, спички, махорка, высыпавшаяся из сигарет, и среди прочего узенькая книжечка паспорта.

Все выдохнули с облегчением. Лева Каминский поднял паспорт и сам передал таможеннику. Старушке он больше не доверял. Екатерина Васильевна возвращала свое добро обратно в сумку — монетки, помаду — в обратном порядке. В ней все кипело и пузырилось, как в только что выключенном чайнике. Огня уже нет, но еще бурлит и остынет не скоро.

Романова успела заметить, что в момент поиска лица туристов были разнообразны: одни выражали обеспокоенность, другие равнодушие (как будет, так и будет). Третьи были замкнуты. На замкнутых лицах читалось: «Каждому свое» — как на воротах Освенцима.

Раскольников смотрел перед собой и как бы отсутствовал. Возможно, спал стоя. Как конь.

А высокий принаряженный грузин по имени Лаша совершенно не хотел спать. Он был торжественно возбужден предстоящим путешествием. Лаша родился в деревне под Сухуми, в бедной семье. Отец пришел с войны без ног. Все детство прошло возле инвалида, в ущербности и бедности. У Лаши вызревала мечта — выбиться в люди, занять хорошую должность и путешествовать по миру с другими уважаемыми людьми. Все свершилось. Лаша жил в Москве в самом центре, занимал должность небольшого начальника в Союзе художников. А сейчас отправлялся в страну Италию с художниками и искусствоведами. Свершилось все, о чем мечтал, и даже чуть-чуть больше.

Лаша поглядывал на Романову. Она была самая молодая и самая привлекательная из существующих женщин. Старушка и лесбиянка не в счет. Жена Большого художника — тоже мимо, поскольку притязания на жену — прямой выпад против начальства. Остальные женщины порядочные, а потому пресные.

Лаша недавно развелся и искал подругу жизни. Романова вполне могла стать подругой на период путешествия. Лаша давно заметил, что такие вот — умненькие, очкастые — самые развратные, изобретательные в постели. Лаша старался держаться поближе и поглядывал заинтересованно.

Романова быстро подметила его заинтересованность и решила поэксплуатировать.

— Вы грузин? — спросила она.

— Грузин, — сказал Лаша. — А что?

— Значит, рыцарь?

Лаша насторожился.

— Возьмите себе мою валюту. Тут мелочь...

Романова вытащила итальянские лиры.

Лаша выстроил обиженное лицо. Он не хотел рисковать. Можно было потерять не только путешествие, но и работу. И свободу. А в тюрьме плохое питание, неудобный сон и вынужденное общение. В тюрьме плохо. А он так долго жил плохо и только недавно стал жить хорошо.

Однако отказывать было стыдно, тем более что Романова включила национальное самосознание. Грузин — рыцарь, а не трус.

Лицо Лаши становилось все более обиженным. Сейчас заплачет.

— Ладно, — сказала Романова. — Грузин, называется.

Она отошла. Отошла возможность комплексного счастья: Италия + женщина. Оставалась только Италия.

«Ну и черт с тобой, — подумал Лаша. — Зато не будет отвлекать». Лаша был человек увлекающийся, он нырнул бы в Романову с головой и просидел там все десять дней и ничего не увидел. Стоило ехать в такую даль, платить семьсот рублей... Лаша утешился.

Романова стояла в растерянности. Сейчас начнут рентгеном просвечивать ручную кладь и всю тебя. Хоть бери да выбрасывай лиры в плевательницу.

Раскольников держал в руках толстую книгу в рыжем кожаном переплете.

— Давайте познакомимся, — предложила Романова. — Меня зовут Катя Романова.

— Я знаю, — спокойно сказал Раскольников.

— Откуда?

— У меня есть сын, а у сына ваша книга «Жила-была собака». Это наша любимая книга.

— Спасибо, — задумчиво поблагодарила Романова. — Вы не возьмете у меня восемь тысяч лир? Я боюсь.

Она прямо посмотрела в круглые озера его глаз и показала сложенные бумажки.

Раскольников молча взял их и сунул во внутренний карман своего плаща. Всего два движения руки: одно к деньгам, другое к карману. В сущности, одно челночное движение. И весь разговор.

Когда вошли в самолет, сели рядом. Раскольников молча проделал второе челночное движение руки: от кармана к Романовой с теми же сложенными бумажками.

— Спасибо, — сказала она.

— Не за что.

— А вы не боялись?

— Кого? ИХ?

Взгляд его синих глаз стал жестким. В старые времена сказали бы «стальным». Если бы Романова решила нарисовать эти глаза, то подбавила бы в голубую краску немножко черной.

«Странный, — подумала Романова. — Сумасшедший, наверное...»

Вот Лаша — тот не был сумасшедший. Нормальный советский человек.

Раскольников углубился в рыжую книгу.

— А что это у вас? — осторожно спросила Романова.

— Путеводитель по Италии.

— А зачем? Нас же будут возить и водить.

— Вы считаете, этого достаточно?

Раскольников внимательно посмотрел на Романову, и ей стало неловко за свою обыкновенность.

Она откинулась на сиденье и закрыла глаза.

А Раскольников открыл путеводитель на нужной странице и был рад, что ему никто не мешает. Он был серьезный человек и ко всему относился серьезно.

Первое ощущение Италии было на слух. В аэропорту Милана какая-то женщина громко звала: «Джованни-и! Джованни-и!»

Последнее «и» на полтона ниже, чем все слово. В музыке полтона называется малая секунда. А в России кричат: «Вася-я!», и последнее «я» на два тона ниже. В музыке это называется терция. Разница в полтора тона. Мелочь, в общем...

В Италии едят на гарнир спагетти, у русских — картошку. У них каждый день спагетти, у нас каждый день картошка. Тоже мелочь.

У них лира, у нас рубль. У них капитализм, у нас социализм. А вот это не мелочь.

Русские в Италии. Каждый дожил до своей Италии и привез в нее свое душевное богатство и широкую русскую душу. Но со стороны этого было незаметно — широты и богатства. Со стороны гляделся некрасивый багаж, скучная одежда и стоптанная обувь.

Старушка мечтала увидеть Колизей. Богданов — попасть в галерею Уффици.

Лаша осторожно поглядывал на Романову, как бы перепроверяя свои возможности на новой земле.

Романова искала глазами витрины, у нее было на восемь тысяч больше, чем у всех. А Надя Костина, выспавшись в самолете, оглядывала группу. Ей нравилась жена Большого Плохого художника — яркая блондинка. Она была высокая, просторная и белая, как поле ржи. Большие Плохие художники выбирают себе лучших.

А еще Надя постоянно помнила о бутылке водки, которую она с наценкой купила в аэропорту. Бутылка лежала на дне сумки и осмысляла жизнь, как живое существо.

Первый день показался длинным, потому, наверное, что начался в четыре утра. Он тянулся и никак не мог окончиться. И в этом дне запомнился только дождь, что большая редкость в Италии в июне месяце. Италия — южная страна. Находится на одной широте с нашей Молдавией. И язык похож. Но и только. И только. Все остальное — разное. Особенно витрины.

Советские туристы не могли сделать шагу, чтобы не остолбенеть и не замереть, как будто они наступили на оголенный провод и через них пошел ток.

Романова застыла перед шубой. От одного конца витрины до другого, как цыганская юбка, простирался легкий мех норки. Существовала, наверное, особая обработка, после которой мех становился как шелк. Советский мех — как фанера. Может быть, фанера практичнее и нашей шубы хватит на дольше. Но, как говорится, «тюрьма крепка, да черт ей рад».

Лаша замер перед лампой. Она представляла собой большой хрустальный шар, в нем переплетались разноцветные светящиеся нити, и он медленно крутился, как земля, а нити играли зеленым, синим, малиновым.

Лаша понял, что его мечта перешла на новый виток. Теперь он хочет вот такую лампу, вот такую кровать и вот такую женщину. Как на фотореклаве. И вот такую страну. Боже, как это далеко от его деревни под Сухуми. Как жаль отца, который умер и ничего этого не видел. Что видел отец? Деревню. Фронт. Госпиталь. Деревню. Круг замкнулся.

А Лаша прорвал этот круг и вырвался из него — как далеко. До самой Италии. До этой витрины. Лампа кружилась. Обещала.

— Па-сма-три-и... — выдохнул Лаша, обернувшись к Романовой, которая стояла и бредила наяву возле норковой шубы цвета песка.

Жену Большого Плохого художника отнесло к витрине с драгоценностями. Там на бархате сиял бант из белого золота, усыпанный бриллиантами. Надеть маленькое черное платьице и приколоть такой вот бантик. И больше ничего не надо. И тогда можно прийти в любое общество и выбрать себе Самого Большого Плохого художника. Брежнева, например. Леонида Ильича. А можно молодого и нахального, в джинсах, с втянутым животом.

Большой Плохой художник тоже носит джинсы, но у него при этом зад как чемодан. С той разницей, что чемодан можно спрятать на антресоли, а зад приходится лицезреть каждый день.

Подошел художник-плакатист Юкин.

— Тебе нравится? — спросила Жена, указывая на бант.

— Кич, — ответил Юкин.

Кич — значит смешение стилей, то есть безвкусица. Но Жена не знала, что такое кич, и решила, что это одобрение, типа «блеск».

— Купи, — пошутила Жена.

У Юкина не хватало денег даже на коробку.

— Я бы купил, — серьезно отозвался Юкин. — Для тебя.

Жена посмотрела на Юкина. Он был в джинсах, с втянутым животом и всем, чем надо. Но не великий. И даже не маленький. Никакой. Оформлял плакаты типа «Курить — здоровью вредить».

Он был никакой для общества. Но для себя он был — ТАКОЙ. И для друзей он был — ТАКОЙ. А его другом счи-

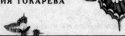

тался и был таковым художник Михайлов. Восходящая звезда. Михайлов писал картины и работал в кино, был одновременно членом двух творческих союзов — художников и кинематографистов.

Пушкин говорил: «Быть можно дельным человеком и думать о красе ногтей». Художник Михайлов был дельным человеком, но не думал о красе ногтей, о чистоте волос и о прочих мелочах, сопутствующих человеку. Он был как алмаз, требующий шлифовки. В данный момент на итальянской земле он пребывал в запыленном состоянии, когда алмаз не отличишь от стекляшки.

Костина приблизилась к Михайлову и показала ему горлышко бутылки, как бы спрашивая: «Хочешь?»

Юкин тут же подошел к ним и строго сказал Михайлову:

— Мы же договорились.

— А я ничего, — отрекся Михайлов.

Юкин и Михайлов договорились, что всю Италию они не возьмут в рот ни капли. Они договорились и даже поклялись во время прогулки на Ленинских горах. Как Герцен и Огарев. Суть клятвы была разная. Но решимость довести дело до конца — одна и та же.

— А ты не провоцируй, — строго сказал Юкин Наде.

— Пожалуйста, — обиделась Надя.

Она проявила царскую щедрость, а ее же за это и осуждали. Воистину, ни одно доброе дело не остается безнаказанным. Однако ей скучно было пить без компании. Пить — это не только пьянеть. Это вид сообщества, поиск истины, приобщения к всемирной душе. Трезвые люди — одномерны и скучны. Им не понять великого перехода в третье измерение. Им не понять лесбийской любви, где нет власти и насилия одного над другим, а есть одна безбрежная нежность. Надю Костину вообще никто не мог понять, и она скучала среди людей. И принимала успокоительное в виде алкоголя.

Надя подошла к Богданову и спросила:

— Хотите, Лев Борисович?

— Да что вы, — удивился Богданов. — Я с утра не пью. И вам не советую.

Богданов отвернулся к витрине с антиквариатом. В ней были выставлены старинные граммофоны, шарманки, рамы для картин с тяжелой лепниной. Если бы можно было заложить в ломбард десять лет жизни и на вырученные деньги скупить все это...

Богданов занимался девятнадцатым веком, и ему было интереснее ТАМ. Все интереснее: вещи, мысли, личности, воздух, еда. Здесь, в сегодняшнем дне, он находился как бы случайно. Как эмигрант в чужой стране. И женщины сегодняшнего дня ему не нравились, слишком много в них мужского. Добытчицы, зарабатывают хлеб в поте лица, носят брюки, пьют водку.

Когда Богданов смотрел на женщину, то мысленно переодевал ее в длинное платье, широкополую шляпу, украшенную искусственными цветами. Смешной был человек Богданов.

Но все они сейчас — и смешные, и серьезные, и никакие, — все замерли перед витринами, и их невозможно было сдвинуть с места.

— Не пяль-тесь! — в отчаянье взвыл руководитель группы.

Автобус ждал. Все было расписано по минутам. Опаздывать нельзя. Туризм — это бизнес. К тому же совестно за своих: стоят, как дикари, которым показали бусы.

— Не пя-ль-тесь же! — брезгливо орал Руководитель.

Руководитель — из националов. Народный художник. Его лицо было плоское, в морщинах, как растрескавшаяся земля. И непривычно широкое для итальянцев.

Итальянцы оборачивались и смотрели на него и на двоеженца, у которого из сандалии сквозь дыру в носке трогательно глядел большой палец. Видимо, ни одна из двух жен не хотела зашить, оставляла другой. И вообще, Лева был неухожен, будто у него не было ни одной жены. Видимо, две и ни одной — это одно и то же. Должна быть одна.

Туристы мирились с окриками Руководителя. Раз он кричит, значит, так надо. Ему можно. Они вздрагивали, как стадо коз под бичом пастуха, и покорно шли дальше.

Тайная вечеря

Романова много раз видела репродукции. И подлинник похож на копии. Но и отличается. Из подлинника летит энергия мастера. А в копии — между мастером и Романовой стоит ремесленник.

Рассеянный экскурсовод рассказывал: кто изображен (Христос и апостолы), почему они собрались и что будет потом. Именно на Тайной вечере Христос сказал: «Один из вас предаст меня». Лицо Иуды в тени. Он боится, что его опознают. Иуда — предатель. С тех пор человечество не пользуется его именем. Нет ни одного — ни взрослого, ни ребенка — с именем Иуда. Иуда — синоним «предатель», а значит, мерзавец.

Богданов возразил: Иуда раскаялся в своем поступке и повесился на осине. Он покончил с собой — значит, уже не мерзавец. Мерзавцы после предательства живут так, будто ничего не случилось.

Экскурсовод не принял реплики, сказал, что человечеству безразлично дальнейшее поведение предателя. Более того, он испортил репутацию осины и осина с тех пор неуважаемое дерево.

Раскольников стоял чуть в стороне, он смотрел, смотрел, будто втягивал изображение в свои глаза, потом тихо заговорил поверх голоса экскурсовода. Забубнил, как в бреду. Но все стали слушать... Если бы не было предательства, Христа не распяли бы. Если бы не было распятия — не было бы и христианства. Именно после смерти на кресте пошло начало и шествие христианства по всему миру.

А что такое Христос, избежавший креста? Это Христос без христианства. А зачем он нужен? Значит, Иуда был необходим. Иуда тоже пошел на смерть. Добровольно. Его миссия велика. Но он поруган. Он проклят на все времена. Он, как навоз, лег в землю, на которой взросли розы. Люди видят только розы. И не помнят о навозе. И брезгливо отворачивают носы при одном упоминании. Но христианство победило и держит мир. И в этом участвовали двое: Христос и Иуда.

Все слушали. И экскурсовод слушал. Никто не возражал, даже Богданов. Из Раскольникова выплескивалась какая-то особая энергия. Он недобрал в весе, но превосходил духом. И Романова чувствовала эту превосходность. И ей хотелось подчиниться и идти за ним, как апостол за Христом. Да они и похожи: то же аскетическое лицо, глаза, не видящие мелочей. И выражение лица. Нигде и никогда Христос не изображен смеющимся. Ему надо было создать учение и мученически умереть в молодые годы. Какое уж тут веселье.

Вечером отправились смотреть порнуху.

Пошли не все. Старушка, Богданов и Руководитель остались из моральных соображений. Двоеженец — из материальных. Ему надо было купить подарки в две семьи, а билет стоил дорого.

Остальные не стали маяться. Сложились и пошли.

Кинотеатр был маленький, тесный, и фильм — не фильм, а что-то вроде наших «новостей дня». Сначала на экране посыпалось зерно — сюжет на сельскохозяйственную тему, потом забегали по футбольному полю юркие негры — спортивный сюжет, потом — выставка машин новейших марок. На крутящемся стенде вокруг своей оси вращались машины, которые отличались от наших много больше, чем спагетти от картошки. Никакой порнухи не было. Вышла осечка. Деньги пропали. Но вдруг на сороковой минуте выскочил маленький сюжет: девица моется под душем, совершенно голая, разумеется. Моется очень тщательно. И долго. И тщательно. А потом к двери подходит молодой мужчина, отдаленно похожий на Юкина, и подсматривает. А потом входит в ванную, запирает за собой дверь и помогает ей мыться, но заодно и мешает. Отвлекает от мытья.

Романова впервые видела порнуху не в своем воображении, а отдельно от себя. Кто-то другой демонстрировал свое воображение на экране. Ничего принципиально нового Романова не увидела. Все это она предполагала и без них.

Лаша сидел рядом, и это было особенно стыдно. Его глаза сверкали, как два луча, и прорезали темноту зала.

С другой стороны сидел Раскольников. И Романова плохо себе представляла, как они посмотрят друг на друга, когда зажжется свет. Все это походило на соучастие в чем-то непристойном.

Однако свет зажегся. Все поднялись и отправились пешком в гостиницу. Шли молча. Юкин и жена Большого Плохого художника отстали.

— Ты такая большая, как стела, — сказал Юкин.

— Это мое имя, — ответила Жена. — Меня зовут Стелла.

— Стелла по-итальянски «звезда», — хрипло сказал Юкин.

Ему было трудно говорить. Весь его низ напрягся, восстал. Ему было трудно говорить и передвигаться.

Юкин обнял Стеллу и прижался всем телом к ее большому телу. И еще осталось место.

«Как давно у меня этого не было», — подумала Стелла.

Итальянцы шли мимо них, не обращая внимания. Для итальянцев это было нормально, как имя Джованни и как спагетти под томатным соусом.

Романова вошла в свой номер. Посредине — сдвоенная кровать шириной примерно четыре метра, а может, и шесть. Брачное ложе. На стене, над спинкой кровати, — образок Мадонны, благословляющей священный союз.

Надя Костина лежала поверх одеяла, одетая. На полу — начатая красивая бутылка вермута.

Романова в этот вечер не прочь была принять новый сексуальный опыт. С женщиной. Но Надя Костина ей не нравилась. Она была — если можно так выразиться — не в ее вкусе. Более того. Вернее, менее того. Она была ей неприятна. И хорошо, что кровать широкая и на ней две подушки и два одеяла. Можно переодеться в ночную рубашку и лечь на свою левую сторону, забыв о правой стороне.

Романова именно так и поступила. Она легла и затаилась в ожидании сексуальной агрессии.

Но Наде Костиной хотелось совсем другого. Ей хотелось поговорить и чтобы ее послушали. Алкоголь обострил ее восприятие, мысли толпились и рвались наружу. Каждая мысль остра, неординарна. Жалко было держать в себе, хотелось поделиться, как пищей и вином. Как всем лучшим, что она имеет.

Костина говорила, говорила, обо всем сразу: об итальянском Возрождении, о буржуазии, об истории карикатуры...

Романовой страстно хотелось одного: спать, спать, спать... А Костиной — говорить, говорить, говорить...

«Лучше бы она хотела другого, — подумала Романова. — Это было бы короче...»

Кончилось тем, что они выбрали каждая свое: Романова заснула под шорох золотого словесного дождя, где каждое слово — крупинка золота. Жаль, что не было магнитофона и все слова ушли в никуда. В воздух. Воспарили к потолку. И растаяли.

На другой день была Венеция. К Венеции подъезжали морем на речном катере, и она выступила из-за поворота черепичными крышами. У Лаши были полные глаза слез. Чистые слезы чистого восторга. И Романова тоже ощутила влажный жар, подступивший к глазам... Пожалуй, это были самые счастливые минуты во всем путешествии: водная гладь, стремительный катер и набегающий город — такой наивный и вечный, как детство.

Раскольников стоял с сумкой через плечо и всматривался в город, как в приближающегося противника: кто кого.

Романова снова ощутила превосходство этого человека над собой. Да и надо всеми. Что-то в нем было еще плюс к тому. Все как у всех и плюс к тому. Хорошо бы узнать — что?

Снова гостиница. При гостинице — ресторан. Суп — в шесть часов, а не в два, как в Москве. Итальянцы принимают основную еду в шесть. И конечно, спагетти под разнообразными соусами, и мясо, как «шоколата». Как шоколад, не в смысле вкуса, а в поведении на зубах. Оно жуется легко и как бы сообщает: «Ты голоден — ешь меня. Жуй и ни о чем не беспокойся. Я только то, что ты хочешь».

Наше советское перемороженное мясо как бы вступает в единоборство с человеком. Кто кого. «Ты хочешь разжевать, а я не дамся. Хочешь проглотить? Подавись».

Туристы с вдохновением поглощали итальянскую кухню — все, кроме Раскольникова. Раскольников сидел бледный и держал руку на животе.

— Язва открылась, — сказал он Романовой, отвечая на ее обеспокоенный взгляд. — У меня это бывает.

Когда принесли спагетти, он попросил без подливки.

— А можно его подливку мне? — поинтересовался двоеженец.

— Переводить? — усомнилась переводчица Карла.

— Ведите себя прилично, — посоветовал Руководитель.

— А что здесь особенного? — удивился двоеженец.

Карла перевела. Официант не понял. Потом понял. Удивился, но смолчал. При чем тут «его подливка, моя подливка»... Синьор хочет больше соуса? Пусть так и скажет.

К обеду полагалось вино: белое или розовое. Надо было выбрать.

— А можно то и другое? — спросила Надя Костина.

— Ведите себя прилично, — снова попросил Руководитель. — Что они подумают о русских...

У официанта действительно было свое мнение о разных народах. Русские никогда не дают на чай. Немцы платят десять процентов от обеда. Американцы — не считают. Дают широко. Французы жмутся. Жадная нация. А русские — бедная. У них, говорят, самая передовая идеология, но идеологию на чай не оставишь. Да и зачем она нужна при пустом кошельке. Пустой кошелек — это и есть идеология. Вот что думал шустрый кудрявый официант. Но вслух, естественно, не говорил. Да они бы и не поняли. Русские ели жадно и неумело. Редко кто правильно управлялся с ножом и вилкой. Хватали руками, как дети. И если у них отнять тарелки — они бы, наверное, заплакали.

Венеция — это каналы, гондолы и гондольеры.

Гондольеры — довольно пожилые дядьки, одетые в соломенные шляпы с ленточкой, как в старые времена. И каналы те же. И так же поют под мандолину «О соле мио». Но за «соле мио» надо заплатить. Поэтому русские слушали с чужих лодок.

Вода плескалась в дома, и стены домов были зелеными от ила и водорослей. «Культура, конечно, романтичная, — думала Романова. — Но разве удобно жить, когда фундамент в воде. Сырость».

Богданов сидел, закрыв глаза, и слушал плеск весел.

Гондольер напряженно орудовал веслом, поскольку лодка была тяжелая. Русских набилось, как сельдей.

Раскольников оказался прижат к Романовой. Ему было некуда девать руку, потому что рука с плечом тоже занимала место, по крайней мере десять сантиметров. Раскольников положил руку на плечо Романовой. Иначе было не выйти из положения.

Легкий итальянец-фотограф прыгнул на корму и щелкнул.

А потом оставил фотографию в гостинице у портье. Это его бизнес. Щелкнул без спроса и принес в гостиницу: хочешь — покупай, не хочешь — не надо. Он рисковал. Но риск оказывался оправдан. Почти все фотографии раскупались. И Романова тоже купила за те самые восемь тысяч лир. И до сих пор у нее есть эта фотография: он и она, ужаленные Италией.

Романова хотела, чтобы лодка двигалась вечно и никогда не приставала к берегу. Но лодка тем не менее пристала. Раскольников подал ей руку, помог выйти. А потом не отпустил руку. А она не отняла.

Днем что-то происходило. Какая-то экскурсия. Романова не запомнила. День вылетел из головы. Остался вечер.

Стемнело. Отправились гулять по городу целой группой. Не все улицы — каналы. Есть и просто улицы, вдоль них стоят богатые виллы, а в них живут богатые люди. Очень богатые.

«Па-сма-три», — выдохнул Лаша и замер напротив виллы из белого мрамора, увитой виноградом.

Его шок длился несколько секунд, за это время туристы свернули за угол. Лаша потерялся.

Следующими потерялись Юкин и Стелла. Группа медленно таяла в венецианских сумерках.

Романова и Раскольников зависли между небом и землей, взявшись за руки.

— Ты женат? — спросила Романова.

— Да. Но мы не живем вместе. Я полюбил другую женщину.

— А кто эта другая?

— Ты не знаешь. Она — мой редактор.

Но если он любит другую, то почему целый день не отпускает ее руку... Так не ведут себя, когда любят другую. Значит, он и другую тоже разлюбил. В этом дело.

— А где ты сейчас живешь? С кем?

— Один. Я живу за городом. На даче.

— Каждый день ездишь на работу?

— Я не работаю. Вернее, работаю. Я пишу философский трактат «Христос и Маркс».

Романова удивилась: что общего между Марксом и Христом, кроме того, что оба иудеи.

— Я работаю ночью. А днем сплю.

— А во сколько ты просыпаешься?

— В восемь часов вечера.

— А когда ты ешь?

— Я ем один раз в сутки. Когда просыпаюсь.

«Поэтому такой худой», — догадалась Романова.

— Ночью прекрасно. Ни души. Я могу гулять, думать. Деревья, луна...

«Сумасшедший, — догадалась Романова. — Мания преследования. Избегает людей».

— Тебе кажется, что тебя кто-то преследует? — проверила она.

— Жена. Она приходит и все время от меня чего-то хочет. А я от нее уже давно ничего не хочу.

— А редакторша?

— Она любит меня. А я ее. Она ждет ребенка.

«Так, — подумала Романова. — Мне места нет».

Но отчего он так расстроен? Он любит. Его любят. Ребенок. Все же хорошо.

— У тебя все хорошо, — сказала Романова, гася в себе разочарование.

— Да, — кивнул он и вдруг обнял. Прижал. Руки оказались неожиданно сильные для такого легкого тела. Зарылся лицом в ее волосы. Дрожал какой-то нервной, подкидывающей дрожью.

Сели на лавку и стали целоваться. Его сердце стучало гулко и опасно, как бомба с часовым механизмом. Сейчас рванет — и все взлетит на воздух: прошлое, настоящее, будущее — все в клочки. И пусть. Разве не этого она ждала последние десять лет? Ждала и зябла от нетерпения...

— Иди сюда, — позвал он.

Зашли в телефонную будку. Было тесно и неудобно.

— Не надо, — сказала Романова, удерживая его руки.

— Надо...

Она услышала его руки на своем теле, будто он тщательно и осторожно подключал ее к высокому напряжению. К электрическому стулу. Сейчас ошпарит током и убьет. Так оно и оказалось. Долгая блаженная агония сотрясла все нутро. Душа отлетела. Потом вернулась. Медленно вплыла обратно. Романова очнулась.

— Родная, — тихо сказал Раскольников.

И это — правда. Они были одного рода и вида.

Именно ОДНОРОДНОСТЬ поразила, когда увидела его в первый раз, сидящего напротив. А вовсе не худоба и не цвет волос. Мало ли худых и светловолосых. Она увидела его и о чем-то догадалась. Вот об этом...

Муж встретит в аэропорту. Она отдаст чемодан с джинсами, скажет «прости» и уйдет за Раскольниковым. Куда он — туда она. Он — в лес, она — за ним. Он будет днем спать — и она с ним. И гулять под луной, и есть раз в сутки, и разговаривать про Христа и Маркса. Только бы слышать его бубнящий голос, ловить витиеватую мысль на грани ума и безумия. И умирать. И воскресать.

Надя была непривычно молчалива. Она быстро, по-походному разделась и легла спать в майке, в которой ходила весь день. Носки она тоже не сняла. Ей хотелось спать.

А Романовой — говорить. Они не совпадали по фазе.

Романова давно заметила такие совпадения и несовпадения между людьми. Бывает: она работает, или варит кофе, или моет голову... И если в этот момент, явно неподходящий, звонит телефон, Романова понимает, что звонит не ЕЕ человек. Они на разных фазах. ЕЕ человек позвонит в подходящий момент, когда кофе выключен, голова вымыта, а работа закончена.

Надя лежала с закрытыми глазами.

— Ты спишь? — проверила Романова.

— А что? — отозвалась Надя.

— Ты знаешь этого… худого? — безразлично спросила Романова.

— Леньку, что ли…

Значит, у него есть имя. Леонид. Как небрежно она обращается с его именем.

— Он с Востряковой живет. На ее счет, — сообщила Надя.

— В каком смысле?

— Во всех. Она его кормит. Занимается его делами.

— Красивая?

— Была.

— Почему «была»? Она его старше?

— Лет на десять… Ну, может, на пять… — смилостивилась Надя.

— Он один живет, — возразила Романова.

— Слушай больше. Он расскажет.

Романова не огорчилась. Наоборот, ей понравилось, что о Раскольникове говорят пренебрежительно. Пусть он хоть кому-нибудь неприятен. Это делает реже толпу возле него. Легче протолкаться…

Единственная правда в Надиных словах — та, что редакторша не хороша. Она, Романова, много лучше.

Надя заснула.

Романова вспомнила, как он целовал ее после всего, боясь нарушить, расплескать, и поняла: так притвориться нельзя. Нельзя притвориться мертвым, сердце ведь все равно стучит. И нельзя притвориться живым, если ты умер. А любовь — в одной цепи: жизнь, смерть, любовь.

Существует еще одна цепь: семья, дети, внуки... Продолжение рода. Единственно реальное бессмертие. И Раскольников здесь ни при чем. Но почему он случился, Раскольников? Откуда этот бешеный рывок к счастью? Ее чувство к мужу увяло. Душа заросла сорняком. А свято место пусто не бывает. Вот и случился Раскольников.

Бабочка-однодневка живет один день. Собака — пятнадцать лет. Бывает любовь-бабочка, а бывает любовь-собака. Но ведь существует любовь-ворона. Двести лет... Дольше человека...

Флоренция

Венеция, Флоренция — какие красивые слова! От одних слов с ума сойдешь...

Галерея Уффици запомнилась длинными пролетами, подлинниками Боттичелли и тем, что Романова захотела в туалет по малой нужде. Она долго терпела, надеясь обмануть свою нужду, отвлечь на произведения истинного искусства. Но нужда настаивала на своем и в конце концов потребовала незамедлительного поступка.

Где туалет? Кого спросить? И на каком языке?

К Раскольникову обращаться не хотелось. Для него Романова — фея. А феи в туалет не ходят. И питаются лепестками роз.

Экскурсовод рассказывал про Боттичелли. Богданов перебивал, не давал слова сказать и в конце концов сам стал вести экскурсию. Переводчица Карла была счастлива, не надо переводить. Экскурсовод не возражал: деньги те же, а работы меньше.

Романова подошла к двоеженцу и тихо попросила:

— Лева, проводи меня в туалет. Я заблужусь.

— Извини, — тихо сказал Лева. — Я не для того приехал в галерею Уффици, чтобы тебя в туалет водить.

Он сказал это без хамства, как бы с юмором, но ситуация становилась неразрешимой.

— Пойдем, — тихо сказал Раскольников и взял ее за руку. Повел.

Шли молча по бесконечному коридору. Он был бледен и напряженно думал о чем-то. Скорее всего о том, что делать с новой, свалившейся на него любовью. Закрепить за собою? Или отказаться? У него уже есть сын и должен появиться еще один.

— Да ладно, — сказала Романова. — Как-нибудь вырулим. Бог не выдаст, свинья не съест.

— Что? — нахмурился Раскольников. Он ничего не понял: какой Бог? Какая свинья? Куда вырулим?

Автобус летит по магистралям из города в город. Восемь дней, пять городов.

Романова сидит с Раскольниковым в третьем ряду от конца. Они вдвоем. Она держит его за колено. Это уже ее колено. Он не отнимает и даже, кажется, не замечает. Но когда она убирает руку — сразу замечает. Мерзнет. Ему тепло от ее руки.

Раскольников говорит, говорит, но не так, как Надя. Вернее, она не так его слушает. Романова внемлет, ловит каждое слово, и знаки препинания, и даже паузы после точки.

Раскольников говорит о социализме, о Брежневе, о ситуации в искусстве, о своем месте, и получается, что ему там места нет. Такие, как он, получается, не нужны. И не надо. Он ушел в лес. В ночь. Он тоже никого не хочет видеть. И он пишет то, что ему интересно. А ИМ нет. Они это не будут читать. А если и прочитают — не поймут. ИМ бы чего-нибудь попроще...

Романова слушала и смотрела перед собой. Она верила Раскольникову и не очень. Так, как он, рассуждали многие неудачники. У них не получается, значит, кто-то виноват.

Лично ее карьера складывалась легко. При том же Брежневе. При том же социализме. Романова хорошо рисовала. Издательство ценило. Ее книги выходили. Читатели писали письма, в основном дети и их мамы. Иногда папы. Критика благосклонно похлопывала по плечу.

Травинка пробивает асфальт. Так и талант: проклюнется через любую систему. А если не получается пробить, значит, не сильный росток.

Система системой. Но ведь работают и сегодня талантливые художники. И все их знают. Есть таланты, которых зажимают. Но всем известно, кого зажимают. Получается двойная популярность: художника и страдальца.

— А Михайлов... — привела пример Романова. — Что хочет, то и делает.

— Нужна привыкаемость к имени. Если пробьешься, ты свободен.

— Пробивайся, кто тебе мешает.

— То же самое сказал Твердохлебов.

— Кто это? — не поняла Романова.

— Чиновник от культуры. Начальник. Он сказал Востряковой: «Пусть продирается, оставляет мясо на заборе».

«Вострякова — редактор, та самая, что ждет ребенка, — догадалась Романова. — Значит, она действительно занимается его делами».

— А я не хочу продираться сквозь них. Не хочу и не буду.

— А зачем Вострякова ходила к Твердохлебову? Что она ему носила? Философский трактат?

— Нет. Она носила мою пьесу.

— Ты пишешь пьесы?

— Да. Я пишу. И рисую. И у меня есть философские труды.

— Как Леонардо. На все руки.

— И ты считаешь, что гении были только во времена Возрождения? Только в Италии? А в России их нет?

Романова вглядывалась в него с дополнительным интересом. Вот оно как... Он считает себя гением современности. Мания величия. Плюс к мании преследования.

— Ты считаешь себя гением? — прямо спросила Романова.

— Потому что они считают меня говном. И если я им поверю и не буду сопротивляться, я и превращусь в этот минерал.

Нет, не сумасшедший. Просто неудачник с гипертрофированным самолюбием.

— Сколько тебе лет? — спросила Романова.

— Тридцать три.

Как Христу. Однако Христос в тридцать три уже умер, создав Веру. А этот все пробивается.

Замолчали. За окном бежали итальянские пейзажи.

— Ты совсем, что ли, не понимаешь, где ты живёшь? — поинтересовался Раскольников.

Романова смущённо промолчала. Ну что делать, если она жила хорошо? Работала, как хотела. Не выполняла ничьих социальных заказов. Мальчики, девочки, кошки и собаки одинаково выглядят при любой системе. Она их рисовала. Ей платили. На еду хватало. И даже на юбку от спекулянтки. Она любила дочь. И жизнь. А это — вечное, от системы не зависящее.

Ей и в голову не приходило, что бывает другая жизнь, что юбку можно купить не у спекулянтки — какую подсунут, а в магазине — какую ты сам себе выберешь. Что жить можно не в муниципальном многоэтажном доме, в каких живёт на Западе арабская нищета, а иметь свой дом. И даже два. И твой талант — это твоя интеллектуальная собственность, которая защищается законом, как всякая собственность.

— Растительное создание, — усмехнулся Раскольников. — Живёшь, как лист при дороге. Подорожник.

«Да, подорожник, — мысленно согласилась Романова. — Его трудно сорвать. Он жилистый. Его хорошо прикладывать к ране. Успокаивает».

Полезная вещь подорожник.

— А ты нарцисс, — определила Романова.

Самовлюблённый, нестойкий, красивый. Очень красивый. Глаз не оторвать. Романова и не отрывала. Её взгляд будто прилепили к его лицу. И этот прилепленный взгляд нёсся со скоростью сто километров в час по прекрасным итальянским дорогам.

А все дороги, как известно, ведут в Рим.

Рим

— Я заеду за тобой в четыре часа, — кричала по телефону Маша. — Возьми Михайлова.

— Зачем?

— Арсений попросил. Он тоже поедет с нами.

Арсений — оперный певец, поющий в «Ла Скала». Он был приглашен по контракту. Большая редкость для семидесятых годов. Почти экзотика. Один или два человека из огромной России работали на Западе с согласия обеих стран. Это был признак избранности. Как будто пригласили не в Италию, а на Олимп к богам.

Маша — институтская подруга Романовой. Она вышла замуж за итальянского журналиста и переехала в Рим. Это было совершенно логично, когда итальянец из всех русских женщин выбрал Машу. В Маше было все, что положено: ум, красота, доброта и еще плюс к тому какой-то особый слух к жизни. Она вставала утром, говорила: «Здравствуй, утро» — принималась за день иначе, чем все. С аппетитом, будто ей этот день подали на блюдце и она орудует вилкой и ножиком.

С Машей было весело, как под солнцем. А когда уехала, все погрузилось в серый полумрак. То, да не то.

Романова тосковала по подруге. А Маша осваивала новую страну, новую жизнь, новую себя. Прорывалась, оставляя мясо на заборе. Капитализм — это не легче, чем Твердохлебовы.

— Я покажу тебе свой Рим, — пообещала Маша. — А потом мы все вместе пообедаем.

В программе был Рим глазами избранных и обед в дорогом ресторане. Но в эту программу не входил Раскольников. И значит, все теряло всякий смысл.

— А можно еще одного человека взять? — спросила Романова и добавила: — Он мало ест. У него язва.

— Нельзя, — отрезала Маша. — Машина «блошка». На четыре места. А нас уже четверо: я, ты, Михайлов и Арсений.

На ресторан уйдет часа два. Два часа без Раскольникова. Это все равно что два часа просидеть под водой, зажав нос и рот.

— Я буду в четыре, — повторила Маша. — Стойте перед гостиницей на улице.

Маша была убеждена, что Романова мечтает о Риме, изысканной еде, полноценном общении. Ей и в голову не могло прийти, что она готова променять это все на полслова, полвзгляда какого-то ущербного неудачника с пустыми амбициями.

Романова подошла к Руководителю и сказала, что не поедет смотреть собор Святого Петра, так как у нее встреча с подругой.

— Ваше дело, — легко разрешил Руководитель. — По мне — я бы вас распустил на все четыре стороны и назначил сбор в день отлета.

Для него как для Руководителя важно, чтобы все вернулись в полном составе. А поведение внутри страны — это личное дело каждого.

— Спасибо, — тускло сказала Романова.

Она еще надеялась, что ей запретят. Скажут «нет». И тогда она останется с Раскольниковым. Но сказали «пожалуйста».

— А Минаев с вами пойдет? — спросила женщина в кудельках.

«Кто такая?» — подумала про себя Романова. Она не помнила, когда та присоединилась к группе: в Москве? Или в Италии? Но выспрашивать, естественно, не стала. Она слышала: с оркестрами выезжают дополнительные люди, они называются «настройщики». Что-то настраивают.

— А почему он должен со мной пойти?

Романова как бы возвращала вопрос. Пусть отвечает «настройщица». Пусть она сама отвечает на свои вопросы.

Автобус уже ждал возле гостиницы. Все рассаживались на привычные места.

— Я тут отлучусь ненадолго и сразу вернусь. Ничего? — спросила Романова.

— Ничего, — сказал Раскольников. Он был бледен. Держал руку на животе.

— Болит? — посочувствовала Романова.

— Болит.

— Если хочешь, я останусь с тобой.

— Не обязательно.

— Почему?

— Мне хочется помолчать. Мне надо подумать...

Теперь была ее очередь обижаться.

Романова пристально посмотрела на Раскольникова и решила не обижаться.

Ему надо подумать. Разобраться в сложном треугольнике. Не треугольнике даже, целой призме. Столько переплетений... Надо как-то расселить всех в своей душе. Чтобы никто не пострадал. Но ведь это невозможно. Кто-то обязательно пострадает. Значит, надо подумать, подвигать фигуры, как на шахматной доске...

Сидели в дорогом ресторане на улице Бернини.

Принять заказ вышла хозяйка ресторана. Арсений — престижный гость, поэтому ему оказывали почести.

Хозяйка предлагала блюда, записывала меню: жареные бананы, мясо на решетке, плоды из сада моря: лангусты, креветки, устрицы и прочие морские черви.

Романова отметила платье хозяйки: простое, как все дорогие вещи, из натурального шелка. Хозяйка выглядела как фотомодель. Это тоже входило в бизнес.

Романова представила себя в таком платье. Пришла бы в нем к Раскольникову. А он бы сказал: «Я все равно живу ночью, когда все спят. Я никуда не хожу, и тебя никто не увидит». А она бы ответила: «Ты увидишь, ты. А больше мне никто не нужен».

— Ты хотел бы здесь остаться? — спросил Михайлов у Арсения.

— Мне предлагают, но я не хочу, — ответил Арсений.

— Почему? — спросила Романова.

— Не хочу, — уклонился Арсений.

— Творческий человек должен жить там, где ему работается, — произнес Михайлов.

Романова всматривалась в Михайлова. Линия верхнего века была у него прямая, как у Ленина. Вернее, как у чуваша.

Мысль, высказанная Михайловым, была бесспорна: творческий человек должен жить там, где хорошо его ДЕЛУ.

Принесли закуски. Романова начала есть жареные бананы и была так голодна, что не могла смаковать, а забрасывала в рот один кусочек за другим, как картошку, и наелась до того, как пошли основные деликатесы.

Маша не ела ничего. Рассматривала книгу Романовой «Жила-была собака». Книга — яркая и блестящая, как леденец. Это была большая удача — и Шуркина, и ее. «Мы с тобой сорвали грушу, висящую высоко», — говаривал Шурка.

Маша рассматривала книгу и не могла не думать о себе, вернее — о своей праздности. У Романовой — дочь, книга. А у нее ни того, ни другого, хотя они ровесницы и учились вместе. У нее — Антонио и достойная страна. Это много: муж и страна. Но это — не кровное. Кровное — дело и дети.

— Если я нарисую лучше, чем ты, — неожиданно сказала Маша, — ты мне простишь?

Романову поразил глагол «простишь».

— Прошу, — серьезно сказала Романова. — И буду рада. Но ты не нарисуешь.

— Почему?

— Потому что талант — это прежде всего потребность в работе. А ты до сих пор не подошла к мольберту. Значит, у тебя потребности нет.

— Так, как ты, я смогу.

— Это кажется, — объяснила Романова. — Для того, чтобы делать картинки, даже такие, надо все бросить. И всех. Ты не захочешь. Ты слишком любишь жизнь.

— А ты?

— А для меня мои картинки — это и есть жизнь.

— Этого хватает?

— Нет, — созналась Романова. — Не хватает.

Маша промолчала. У нее было все, кроме картинок. Обеим не хватало большого куска пирога в жизни. Они это понимали. Они дружили честно. Зависть не разъедала их дружбу. У каждой были свои козыри в колоде.

Арсений о чем-то тихо разговаривал с Михайловым. Они были оба толстые, но толстые по-разному. Михайлов — от неправильной еды, от большого количества пустой, небелковой пищи. А Арсений толст профессионально. Твердый жир держит диафрагму, а на диафрагму опирается звук, особенно верхнее ля, из-за которого он попал в «Ла Скала».

У Арсения было внимательное, заинтересованное лицо, и весь он был дружественный, щедрый, вальяжный, но Романова видела, что он куда-то торопится. В свою жизнь. Отдает долги старой дружбы. Однако его поезд ушел далеко вперед и мелькают другие полустанки.

Позже, когда прощались, усаживались в машину и машина тронулась, Романова оглянулась назад и увидела лицо Арсения. Он смотрел куда-то в сторону и уже забыл о ресторане, о русских. Спустя секунду он забыл обо всех напрочь. Начиналась другая жизнь.

Обидно? Да нет. Невозможно ведь быть необходимой каждому человеку. Однако такая скоротечность наводит на философские размышления о жизни и смерти. Только что сидели за столом — и вот уже расстались навсегда.

— Я сейчас покажу вам свою точку, — сказала Маша.

— Какую точку? — не понял Михайлов.

— Здесь на горе есть потрясающий ракурс: кусок Рима и дерево. Шатер зелени и черепичные крыши...

Романова хотела в гостиницу. Ей не нужна была чужая

точка. И шатер зелени тоже не нужен. Но Маша уже остановила свою машину.

— Сюда! — позвала Маша, и Романова послушно пошла. И встала. И смотрела. И было красиво. Но не нужна эта красота ей ОДНОЙ. Без со-участия, со-переживания близкого ей человека. Это все равно что в одиночку есть жареные бананы.

А Михайлов смотрел сощурившись и закладывал этот пейзаж в свой внутренний компьютер. Когда надо, он вызовет из памяти и бросит на холст.

Советские туристы располагались на двух этажах маленькой дешевой гостиницы. Романова не знала, в каком номере живет Раскольников, и решила заглянуть в каждый. Искать методом тыка. Этот метод был самым длинным, но самым безошибочным.

Романова толкнулась в первый от двери номер и увидела тетку с кудряшками. Вернее, в процессе создания кудряшек. Она закручивала волосы на резиновые бигуди.

— Простите, который час? — спросила Романова, будто именно за этим и пришла.

— Одиннадцать, — ответила тетка.

Значит, Романова отсутствовала семь часов. А ей казалось: от силы часа три. Не больше.

— Спокойной ночи, — растерянно пожелала Романова и скрылась.

«Ищет», — догадалась тетка. Она была воистину инженером человеческих душ, хоть и не имела к искусству никакого отношения. У нее было свое искусство.

Романова постучала в номер рядом.

Дверь распахнулась. В номере сидели Юкин, Стелла и Надя Костина. Классический треугольник: Стелла — вершина треугольника, а Юкин и Надя — в основании. Они пили, закусывали орехами, и в номере был беспорядок, доведенный до той степени, которая называется «бардак».

— Заходи, — пригласила Надя.

— Спасибо. Потом.

Романова захлопнула перед собой дверь и ушла в другой конец коридора. Она боялась, что компания выбежит и затащит ее в этот мусор и дым и бредовые мысли.

На другом конце тоже были двери. Романова сунулась в одну из них и увидела Лашу. Он лежал под одеялом и слушал музыку из репродуктора. В итальянских гостиницах предлагается три музыкальных канала: современный тяжелый рок — для молодежи, нежные мелодии ретро — для стариков и классическая музыка — для интеллектуалов. Для высоколобых.

Лаша выбрал ретро. Высокий тенор сладко летал над Лашей.

— Ой, — сказала Романова и дернулась обратно.

— Не уходи, — грустно попросил Лаша.

Романова задержалась в дверях.

— Сядь.

— Нет. Я постою.

— Ты счастлива? — неожиданно спросил Лаша.

— Вообще? Или здесь? — уточнила Романова.

— Здесь. И вообще.

— Не знаю, — честно сказала она.

— А можешь быть счастлива?

— Не знаю.

— Разве это не от тебя зависит?

— Не только.

— А по-моему, от человека все зависит.

Романова задумалась. Что она может дать Раскольникову? Свои тридцать семь лет, талант и дочь Нину. 37 лет — возраст хороший, но впереди мало молодости. Нина — девочка хорошая, но чужая. Не его. И талант — тоже субстанция спорная. Он отвлекает, тянет на себя и, значит, отбирает Романову от других людей, и от Раскольникова в том числе. Он будет одинок рядом с ней.

— Почему ты молчишь? — спросил Лаша.

— Счастье — не только брать. Но и давать. А что я могу дать другому человеку?

— Себя, — сказал Лаша.

— Ты думаешь, этого хватит?

— Смотря кому.

— Вот именно.

Помолчали. Лаша подумал, что Романова нуждается в его поддержке. Он должен сказать «мне бы хватило». Но это — неполная правда. Часть правды. Он хотел Романову сейчас, в одиннадцать часов, в отеле, в Риме. А что будет через месяц, в это же время в Москве — он не знал. Но ему казалось, что Романова ждет. Что она пришла не случайно.

— Я не знаю, влюблен я или люблю. Я это узнаю только в Москве, — честно сказал он. — На расстоянии. Поэтому я сейчас не хочу выпускать зверя.

— Какого зверя? — не поняла Романова.

— И у меня изжога, — добавил Лаша.

— У Раскольникова тоже плохо с желудком. Ты не знаешь, в каком он номере?

— Кто?

— Минаев... — поправила себя Романова.

— Не знаю, — обиделся Лаша.

Оказывается, она ищет этого дистрофика Минаева, а в его звере не нуждается, и ей как-то все равно: выпустит он его или нет. И куда.

— Спокойной ночи, — пожелала Романова.

Вышла в коридор. Мимо прошел Руководитель с большой коробкой в руках. В отличие от остальных у него была валюта, и он покупал на нее фужеры из флорентийского стекла. Фужеры были уложены в коробки, на которых изображалась рюмочка.

Руководитель смутился, будто его руку застали в чужом кармане. Романова тоже смутилась. Ей казалось, Руководитель догадывается, зачем она здесь стоит.

Романовой стала оскорбительна ее миссия: бегать по номерам, искать методом тыка. Почему она это делает, а не он? Кто из них двоих женщина?

Романова взяла ключ у портье и поднялась к себе в номер на втором этаже.

Кровати стояли не рядом, а в разных концах комнаты. Большая удача.

Романова легла и закрыла глаза, заставляя себя заснуть. Ей хотелось как можно скорее перескочить через эту ночь в новый день. Увидеть. И сказать «здравствуй». И заглянуть в глаза. И понять: как он переставил шахматные фигуры. Кто она теперь: королева, ладья или пешка.

* * *

Она увидела его за завтраком. Подавали то, что называется «пти дежене» — маленький завтрак. Свежие хрустящие булочки-круассаны, джем, масло, сыр, благоухающий кофе.

Группа сидела за общим столом. Двоеженец Лева пребывал в замечательном настроении: он шутил, развлекал всех, и его доброжелательность, как сигаретный дым, наполняла помещение и вдыхалась каждым.

Раскольников изменился. Романова увидела его сразу, еще в дверях. Он как-то затвердел и удалился. Удалился ото всех. Вполз, как улитка в панцирь.

— Привет! — радостно поздоровалась Романова и села рядом. Возле него стоял свободный стул. Это был стул для Романовой, и его никто не занимал.

Раскольников не отозвался на привет. Даже не повернул головы. Его не было, хотя он сидел рядом. Романова потрясла за рукав, но он не качнулся. Не отвечал — ни на слова, ни на жест.

«Обиделся», — поняла Романова. Она измучила его разлукой. Значит, скучал. Значит, большое чувство. Иначе откуда такое затвердение? Романова решила не дергать его на людях, а поговорить при удобном случае. Сказать, что она страдала так же, не меньше. Что не может без него жить. Что согласна. На что? На все.

Случай представился в Ватикане.

Ватикан — музей. Романова — художник. Она не просто смотрит. Она — ВИДИТ. Но сейчас она видит только профиль Раскольникова. Медный голос объявил через микрофон:

— Давайте помолчим и в полной тишине воспримем творение человеческого гения.

Голос шел откуда-то сверху, как с небес, из ада, куда сыпались голые мужчины с полотна Микеланджело. Вокруг установилась тишина благоговения.

— В чем дело? — спросила Романова в полной тишине. — Что происходит?

На нее обернулись.

— Мы должны расстаться, — коротко ответил Раскольников, глядя перед собой. — Со временем я тебя найду.

«С каким временем?» — растерянно подумала Романова. Она минуты без него не может. Мечется, как в бреду. Жизнь без него — бред.

— Почему расстаться?

— Я сделал выбор.

— А зачем выбирать? Пусть у тебя будут две.

Она хочет его ВСЕГО. ВСЕГДА. Но если это невозможно, то пусть урывками, по кускам. Как угодно. Она будет жить ожиданием. Это будет ЖИЗНЬ. А без него — НЕ ЖИЗНЬ. Хуже, чем смерть. Потому что смерть — это отсутствие всего, и страданий в том числе. А без него — страдания, ежедневные, ежеминутные.

Они куда-то шли по пролетам Ватикана. Шагали.

— Пусть у тебя будут две, — повторила она, внушая, вколачивая в него эту идею.

— Ты ничего не понимаешь, — сказал Раскольников, не останавливаясь и не глядя.

Пусть не понимает. Но что же делать? Она же не может вот тут прямо заплакать, чтобы все видели. Видели, а вечером обсудили. И привезли в Москву, и всем бы рассказали — по телефону и в личной беседе. Жизнь скучна, люди рады новостям.

— Я не хочу, чтобы у тебя из-за меня были неприятности.

Эта фраза — как веревка, брошенная утопающему. Романова тут же ухватилась за веревку.

— А я хочу!

Пусть будут неприятности: разрыв с семьей, потеря привычного бытия. Но только рядом. Неприятности с НИМ. Лучше, чем блага без него.

— Ну хорошо, — мрачно согласился Раскольников. — Будут.

Группа влезла в автобус. Автобус отправлялся на следующую экскурсию. В Колизей.

Романова подошла к Руководителю.

— У меня встреча с подругой. Высадите меня возле гостиницы, — попросила она.

— Вы уже встречались с подругой, — заметила тетка с кудельками.

— Мы обедали. А теперь идем платье покупать, — как школьница отчитывалась Романова.

— Вам платье важнее памятника старины?

— Ей подруга важнее, — сухо сказал Руководитель. — Идите.

— Спасибо, — оробело поблагодарила Романова.

За теткой стояла какая-то сила, а Романова боялась силы, как боялась, например, бандитов и быков. Тетка — то и другое, хоть и с кудельками и крашеными губами. Бык с кудельками и крашеными губами.

Автобус остановился возле гостиницы.

— Я плохо себя чувствую, — сказал Раскольников Руководителю. — Я пойду полежу.

— Идите, идите, — отпустила тетка.

Она давно заметила, что Минаев ничего не ест, у него открылась язва и может быть прободение, внутреннее кровотечение, а значит, срочная операция в западной клинике. Пусть полежит в номере, дотянет еще четыре дня и вернется в Москву. А в Москве за него никто не отвечает, кроме здравоохранения. Но это уже не ее забота.

— Идите, — повторила тетка, боясь, что Минаев передумает и продолжит экскурсию.

Дверь автобуса разомкнулась. Раскольников сошел первым и подал руку Романовой.

Автобус двинулся дальше. Туристы смотрели на них из окна. И, как казалось Романовой, все понимали, зачем они остались и чем сейчас займутся.

— Неудобно, — сказала Романова.

— Перед кем? Кто тебя волнует? Кэгэбешница? Или пьяница Юкин?

Романова не ответила.

— Пойдем. — Он взял ее за руку. — Пойдем ко мне.

— Почему к тебе?

В своем номере она была как бы дома и чувствовала себя увереннее. Но он уже вел ее к себе, в конец коридора. Именно отсюда она вчера ушла, от этой двери.

Вошли в номер. Потолок был высокий. Окно большое. Стены белые. Как больничная палата в сумасшедшем доме.

— Давай прощаться...

Все-таки прощаться. Все-таки он ее не выбрал. И не хочет, чтобы у него было две.

Он обнял, стал целовать ее лицо торопливыми поверхностными поцелуями, как будто старался охватить как можно больше площади. Целовал лицо, волосы, плечи, руки... В этом было что-то нервное и странное. Так не целуют, когда хотят овладеть. Так целуют перед самоубийством.

— Что с тобой? — отпрянула Романова.

— Я ухожу.

— Из жизни?

— Может быть, из жизни.

— Из-за меня?

— Да при чем тут ты... Я сделал выбор. Я ухожу просить политического убежища. В американское посольство.

Романова осела на кровать. У нее отвисла челюсть — в прямом смысле этого слова. Видимо, организм реагирует на внезапность определенным образом, ослабевают связки, и челюсть отваливается вниз.

— Закрой рот, — сказал он и пошел к шкафу.

Снял со шкафа дорожную сумку, стал наполнять ее, запихивать необходимое. Среди прочего — путеводитель по Италии. Вот зачем он его взял. Значит, еще в Москве вынашивал это решение. И она, Романова, действительно ни при чем. И это было самое обидное, как пощечина.

Как две пощечины: слева и справа. Утрата и предательство. Он выбирал не между двумя женщинами, как ей казалось. А между двумя странами. А она, Романова, тут вообще ни при чем.

Он вытащил из-под кровати чемодан, засунул в сумку кое-что из чемодана. На дне остались пара белья и две бутылки водки. Это он оставил для конспирации. Чтобы не сразу хватились. Заглянули бы в чемодан, а там не пусто. Значит, вернется. Не уйдет же человек без водки и без трусов.

Почему-то именно эти катающиеся бутылки и комочки белья вывели Романову из шока, вернули в реальность.

— Ну ладно, — сказала она. — Я ни при чем. Но есть ведь другие люди. Вся наша группа. Каждый дожил до СВОЕЙ Италии. Платил большие деньги.

— Я о сыне не думаю, а должен думать о твоем Богданове...

Он говорил жестко. Потому что он — решил. Все это время он мучился, а вчера, в ее отсутствие, — принял решение. Романова поняла, почему он утром затвердел и удалился. Он порвал с группой все связи, как труп порывает все связи с жизнью. Поэтому он твердеет и удаляется.

Раскольников сбегал, а значит, совершал преступление. И обратная дорога ему заказана. Его дорога в один конец. Как в смерть.

— Мне страшно за тебя, — сказала она. — Куда ты денешься?

— Не знаю. Денусь куда-нибудь. Я не сюда ухожу. Понимаешь? Я ухожу ОТТУДА.

Сумка была забита и тяжела для его легкого тела.

— Может, передать что-то твоим... записку или на словах...

— Не надо. Я сам найду возможность.

Такие вещи не передают через третье лицо. Надо позвонить самому и сказать: «Я предал вас, как Иуда Христа. Мне тяжело. Я, может быть, повешусь. Но это не меняет дела. Я предал вас».

Это совсем другое, если позвонит Романова и скажет: «Он предал вас».

— Ну... все. — Он повернулся. Пошел к двери. Романова сделала внутренний рывок и как бы отделилась от себя прежней — влюбленной и зависимой. В ней сработала ВЫСШАЯ любовь, освобожденная от эгоизма, — самоотречение материнства. Она хотела сохранить его не для себя. Просто сохранить. Для него самого.

Сейчас он как ребенок, который стоит на подоконнике шестнадцатого этажа. Не ведает, что творит. Окно раскрыто. Шагнет — и исчезнет. Но есть еще несколько секунд. Их можно использовать.

— Подожди!

Он обернулся.

— За мной сейчас заедет подруга. Она живет в Италии. Посоветуешься. Может быть, она поможет тебе как-то...

Раскольников опустил глаза в пол. Раздумывал. Он ведь не знает подругу. Может, она тоже работает на КГБ. Он и Романову толком не знал. Они знакомы четыре дня поездки.

— Пойдем! — Романова поднялась с кровати. Властно взяла за руку. Повела за собой на улицу. Раскольников шел следом, в его лице и поступи читалось сомнение.

Машина уже стояла у входа. За рулем сидела Маша.

Она высунулась и спросила с возмущением:

— Ну кто так опаздывает в Италии?

Оказывается, было уже половина пятого. Мало того что Маша собиралась тратить деньги на платье и время на его поиски, она еще тратила энергию на унизительное ожидание.

Романова залезла в машину. Раскольников опустился рядом на сиденье. Он сидел рядом, но далеко. Как труп близкого человека. Романова испытывала связь и отчуждение одновременно. Как живое с неживым.

— Представляешь! — с возбуждением объявила Романова. — Он решил сбежать! Собрался. Идет просить убежища...

Для шутки это звучало жутковато. Маша поняла: не шутка. Раскольникова покоробило. Он промолчал.

— Маша, — представилась Маша, будто не слышала предыдущей фразы.

— Леонид Минаев, — глухо представился Раскольников. Романову познабливало. Она испытывала странное состояние: смесь реальности с вымыслом. Все смешивалось, как в мозгах сумасшедшего.

Маша остановила машину возле кафе. Столики и стулья из плетеной пластмассы стояли прямо на площади.

— Сядьте, — строго, как учительница, приказала Маша. Раскольников сел за столик. Маша была красивая, но чужеродная. Она была ему не нужна. И это времяпрепровождение в кафе — тоже не нужно. Он шел к цели, а остальное — Маша, Романова, кафе, разговоры — это препятствия, которые надо обойти.

— Слушайте меня внимательно, — приказала Маша. Раскольников возвел свои глаза и смотрел без всякого смятения.

— Ничего не бывает просто так, — убежденно начала Маша. — Значит, не случайно вы попали с Катей в одну группу. Не случайно Катя привела вас в мою машину. Не случайно мы здесь сидим. На этой площади. Вы — на пороге пере-

Сентиментальное путешествие

мены жизни. Провидение Господне МОИМИ УСТАМИ говорит вам: НЕ ДЕЛАЙТЕ ЭТОГО.

— Но я не хочу жить с большевиками. Я их ненавижу.

— Значит, надо нормально, легально уехать.

— Как? Я не еврей.

— Жениться, пусть фиктивно. Я привезу вам жену. Я обещаю.

— Я не хочу ждать, терять время. Мне некогда. Мне уже тридцать три года, — сказал Раскольников.

— А как вы собираетесь зарабатывать на жизнь? Вы умеете писать на чужом языке? Вы умеете думать на чужом языке? Учтите, русский не нужен никому.

— Я могу дворы подметать.

— Все метлы розданы, — жестко отрезала Маша. Как будто метлы зависели от нее.

Романова с испугом переводила глаза с одного на другого.

— И учтите, — продолжала Маша. — Когда вы придете к американцам просить убежища, они вас выдадут. У посольских людей есть договоренность. Вы не представляете для американцев никакого интереса. Они вас отдадут своим. А свои — в самолет и в Москву. С сопровождением. А у трапа самолета уже будет ждать «скорая» — и в психушку. И все дела. Очень просто.

Нависла пауза. У Романовой заледенела кровь. Ничего не надо — ни любви, ни счастья, ни победы над Востряковой — только бы не психушка. Он и в самом деле сойдет с ума. Ему немного надо.

— Леня! — взмолилась Романова. Она вдруг вспомнила, как его зовут. — Леня, подумайте! Я клянусь вам, я никому не расскажу. И если хотите, я даже не подойду к вам больше.

223

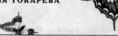

Романова незаметно для себя перешла на «вы». Это «вы» было как бы началом отчуждения. Они едва знакомы. А если надо — то и вовсе не знакомы.

— Вы посидите один, за столом, в автобусе. Обдумаете все хорошенько. А в последний день — решите. Захотите — уйдете. Или останетесь...

Романовой казалось: если она потянет время, она выиграет.

Если ребенок стоит на краю и есть несколько секунд, то можно, подкравшись сзади, схватить его за плечи и сдернуть с подоконника. Пусть он испугается и даже ушибется. Но будет жив.

— Леня. — Романова нашла его зрачки и через них стала стучаться в душу. — Леня... Пожалуйста...

— Ну хорошо, — сухо сказал Раскольников. Он не открыл дверь в свою душу и сказал это как бы из-за двери. — Хорошо... ВСЕ.

Романова выдохнула напряжение. Расслабилась. В ней все осело, как весенний снег.

Маша заказала мороженое с живыми ягодами.

Маленький оркестрик запел песню. Оркестрик состоял из двоих: мандолина и аккордеон.

Эта песня была известна в России. Но по-итальянски она звучала иначе, и чувствовалось, что итальянские слова гармонично сплетаются с мелодией, а русские — не гармонично.

Романова сидела в блаженном каком-то состоянии, как после родов, после боли и опасности. Внимала песне, и эта песня проникала в самые кости и отзывалась в них. Включился художник. Независимо от Романовой начинало работать воображение — она мысленно накидывала на холст: два музыканта с черными усами, треугольник мандолины, квадрат аккордеона, рты в форме буквы «о», страждущий профиль человека с крылом песчаных волос и две распростертых руки Романовой. Надо всем — руки, руки, руки...

Хорошо можно написать только то, что прошло через тебя. Прошло насквозь. Через сердце. Навылет.

— Боже мой... — с тоской сказала Романова. — Как я когда-нибудь это напишу...

— Все вы такие... эгоисты и сволочи, — неожиданно заключила Маша. — Все самое ценное бросаете в костер.

Романова догадалась: «вы» — это Антонио. Ее муж. Журналист. Не считается ни с чем во имя своей профессии. Все самое ценное — в костер. И Маша — в костер.

— Но мы же не для себя, — сказала Романова. — Мы жжем костер для людей. Чтобы грелись.

— Вот именно, что для себя. На других вам плевать.

Маша тоже недовольна жизнью, но скрывает от соотечественников. Никто не счастлив. И нигде.

— А до каких часов работают магазины? — спохватилась Романова.

Маша посмотрела на часы:

— У нас еще есть полчаса.

— Пойдешь с нами? — Романова обернулась к Раскольникову.

— Нет. Я не люблю магазины. Я вас здесь подожду.

— Мы быстро. Туда и обратно. А то я с твоими перемещениями без платья останусь.

Он промолчал.

«Обиделся, — подумала Романова. — И черт с тобой». Он вдруг надоел ей сильно и мгновенно, как головная боль. Захотелось встать и уйти, и купить новое шикарное платье, и зашагать в нем по Италии, как хозяйка жизни, а не раба любви. Жертва чужой авантюры...

Времени было мало, нервы издерганы, поэтому Маша и Романова спешили, нервничали, мерили, снимали, опять мерили и судорожно стаскивали через голову одно платье за другим. Лавочка была маленькая, примерочная тесная, и все кончилось тем, что купили дорогое платье — дороже, чем планировала Маша. От этого настроение у нее упало. И когда вышли из лавочки — обе молчали, переживая второй шок за сегодняшний день.

Своих денег у Маши не было, значит, она залезала в карман мужа и, значит, придется объясняться. Антонио — жаден до тошноты, и разборка займет неделю.

— Я в Москве отнесу деньги твоей маме, — сказала Романова.

Она шла в новом платье, почти таком же, как у хозяйки ресторана, а старое несла в пакете. Она хотела поразить Раскольникова. Он увидит ее в новом платье и скажет: «Я не собирался любить тебя, это не входило в план. Но я влюбился. И поэтому я остаюсь. Я остался только из-за тебя...»

Маша подумала с удовлетворением, что она не потеряла деньги, а как бы перераспределила капитал, сделала подарок своей маме. Она ведь должна помогать маме, живущей в социализме и дефиците, а попросту — в нищете. Но Антонио безразлично, куда уходят деньги — на подругу или на маму. Они УХОДЯТ от него и машут на прощание рукой.

— Как ты думаешь, он не сбежал? — заподозрила Романова.

— Да нет. Он струсит. Он трус.

— Почему? — удивилась Романова.

Сбежать в чужой стране — поступок почти героический.

— Если решил уйти, зачем тебе сказал? Зачем он на тебя это повесил?

— А зачем?

— Чтобы не тащить одному. Это — тяжесть. А вдвоем легче.

Маша помолчала, потом добавила:

— Все они эгоисты и сволочи.

Вышли на площадь. Раскольникова не было.

— Ушел, — сказала Романова. В ней все рухнуло.

— Он в гостинице, — убежденно возразила Маша. — Спать лег.

По площади летали голуби. Индусы продавали свою продукцию, которая была разложена прямо на асфальте: платья, бусы, фигурки из сандалового дерева.

Между людьми и платьями ходил наркоман, курил свою наркоманскую самокрутку, жадно затягиваясь. Он был в кожаном пальто, надетом на голое тело, длинноволосый блондин, отдаленно похожий на Раскольникова, но красивее. Крупнее. Просто красавец.

«А где его мама?» — подумала Романова. Все заблудшиеся люди казались ей детьми.

В середине площади странный парень в набедренной повязке выполнял йоговские упражнения, складываясь и разгибаясь, как гуттаперчевый мальчик. Глаза его смотрели

странно, казалось, видели другое, чем все, — и Романова поняла, что он тоже под кайфом, под мощной дозой.

Возле собора спиной к стене сидели трое нищих: старушка, женщина и девочка. Бабушка, дочка и внучка. Три поколения.

— Пусть у нас тоталитарный режим, — сказала Романова. — Но нищие так не сидят и наркоманы не разгуливают.

— У нас есть ВСЕ, — сказала Маша. — И нищие. И наркоманы. И гении.

— Я вернусь в гостиницу, — решила Романова.

— Пойдем поужинаем, — предложила Маша. — От того, вернешься ты или нет, ничего не изменится.

Маша потратила большие деньги на платье. А теперь готова платить за ужин. Все равно разборка. Все равно терпеть. Семь бед — один ответ. Антонио дал ей много: себя в свои сорок лет, Италию, Рим. Точку на горе с серебряной зеленью шатра и терракотом черепицы. Но Антонио обладал талантом сунуть ложку дегтя в бочку меда, и уже не нужен тебе этот мед, воняющий дегтем. И что толку от этой бочки... Но Маша давно заметила — за все приходится платить. Как за платье. И чем больше получаешь, тем дороже плата.

Ресторанчик — шумный, тесный, стилизованный под кабачок. Люди сидели на простых лавках.

Маша подняла тарелку с рыбой к носу. Не опустила голову к столу, а подняла тарелку. Это почему-то запомнилось.

— Ты что нюхаешь? — удивилась Романова. — Не доверяешь?

— Просто так, — не ответила Маша.

Она не доверяла никому и ничему. На всякий случай.

* * *

Богданов сидел на своей кровати и рассматривал книгу, которую удалось купить сегодня, — Бердяев. Бердяев смотрел с обложки: черный берет, острая бородка и особое выражение лица, которого совершенно не бывает на современных лицах. Современные лица отражают все, что угодно, кроме покоя.

Вот еще одно современное лицо: Катя Романова. Ворвалась, как будто за ней гонятся сорок собак.

Катя смотрела на пустую кровать Раскольникова. На чемодан — он слегка выдвинут, именно так, как был оставлен. Значит, Раскольников не возвращался.

— Простите... А где Леня?

— А разве он не с вами? — простодушно удивился Богданов. — Я думал, что вы не расстаетесь...

— До свидания, — тускло попрощалась Катя.

У нее был такой вид, как будто собаки догнали ее и растерзали. Растащили по кускам. Романова поднялась в свой номер, на свой второй этаж. Сняла новое платье. Легла. Руки и ноги стали ледяные, видимо, сердце плохо толкало кровь.

Надя Костина укладывала чемодан. Завтра утром переезд в другой город. «Куда мы едем? — напряглась Романова. Заболела голова. — В Геную, кажется. А может, и не в Геную». Теперь уже все равно. Ее путешествие кончилось.

Русская зима. Крутая гора. Романова на детских санках съезжает с горы. Стремительное скольжение. Дух захватывает от восторга. И вдруг впереди явственно видит прорубь с зеленоватой водой. Санки несет прямо в прорубь. Ничего нельзя сделать. Сейчас она утонет. Осознание смерти за несколько секунд до смерти...

Зазвенел телефон. Романова спохватилась. Никакой проруби. Номер в отеле. Рим. Италия. Раскольников ушел.

— А... — сказала Романова в трубку.

— Катя, вы извините. — Узнала голос Руководителя. — Пропал Леня Минаев. Вы последняя, кто видел его...

Руководитель ждал, что она начнет говорить, но Романова молчала. Выжидала. Да. Последняя. И что с того?

— Вы не знаете, куда он пошел из гостиницы? Он вам ничего не говорил?

— Он говорил, что хочет купить пишущую машинку, — соврала Романова.

— Да... У него были деньги...

— Я встречалась с подругой. Мы купили платье. Потом сидели в ресторане.

Романова поймала себя на том, что отчитывается.

— Мы ели рыбу...

— Да-да, спасибо, — поблагодарил Руководитель. Что делала Романова — ела, пила, — все это его не интересовало. Она интересовала его только в паре с Минаевым, а не сама по себе. — Спокойной ночи, — попрощался Руководитель.

Романова положила трубку. Четыре часа утра. А Руководитель еще не знает. Значит, и посольство не знает, иначе бы сообщили. Значит, не перехватили. УШЕЛ.

— Кто это звонил? — спросила Надя Костина.

— Минаева ищут. Он не вернулся в гостиницу.

— В бардак пошел, — с уверенностью сказала Нина. — В публичный дом. У него есть деньги в отличие от нас всех.

— А откуда?

— У него в Италии пьеса идет. И во Франции.

— Какая пьеса? — оторопела Романова.

— Какая-то... Авангард...

— Он что, выдающийся?

— Ну не знаю насчет выдающийся... Но любопытный парень. С перевернутыми мозгами. И не только...

— Что ты имеешь в виду?

— Из-за него Нинка Шацкая вены резала.

— Вострякова, — поправила Романова.

— Да нет. Вострякова беременная. Нинка — другая история. У него этих баб как вшей на покойнике.

— А кого он любил? — спросила Романова.

— Никого. Себя. Для него люди — мусор. И вообще все мужики — предатели и проститутки, — подытожила Надя.

— А у тебя были мужчины? — осторожно спросила Романова.

— Был, — сухо ответила Надя в единственном числе.

Романова догадалась, что Надин бешеный рывок к счастью тоже окончился оплеухой и она не захотела повторять и множить плохой опыт. В отличие от всех остальных женщин.

Часы показывали пять утра. Романова боялась бодрствовать, болела пустота, которую оставил после себя Раскольников. И боялась заснуть, увидеть зеленую прорубь...

Утром все стало определенным.

В шесть часов по римскому времени руководителя делегации вызвали по телефону в советское посольство и некто, в чине генерала, так на него орал, что охрип. Сорвал голос.

Генерал в живописи не разбирался. Ему было плевать, кто такой Руководитель: народный, заслуженный, гордость маленькой нации... Для генерала было главным то, что не УГЛЯДЕЛ. Его послали, заплатили, да-да, заплатили валютой не для того, чтобы покупал себе флорентийское стекло...

Руководитель оробел. На него по крайней мере лет тридцать никто не орал, а только славословили и давали ордена.

Он вернулся в гостиницу бледный и все утро глотал таблетки валидола. О сне не могло быть и речи. «Сволочь какая», — думал Руководитель, непонятно о ком: о генерале или о Минаеве. А скорее всего о том и другом.

В девять часов автобус отходил в Геную.

Руководитель вошел в автобус и объявил о случившемся. Торжественно, как на панихиде. Романова не слышала, как именно он сформулировал. Она вошла при общем молчании. Только старушка громко сказала:

— Сволочь какая...

Но это относилось не к ней, а к Минаеву. Романова села на привычное место, в третьем ряду от конца. Стала смотреть на улицу.

— В его чемодане остались две бутылки водки, — сообщил Богданов.

— Давайте их сюда, — расторопно велел Руководитель. — Отдадим шоферу автобуса. Как сувенир.

Руководитель уже освоился в новой обстановке. «Отряд не заметил потери бойца и «Яблочко»-песню допел до конца». Туристическое путешествие продолжалось.

Автобус тронулся. Говорили мало. Каждый думал свою думу.

Романова — о том, что у Раскольникова открылась язва, что ему надо есть все отварное и несоленое. Но кто ему отварит и подаст? Кому он нужен? Язва может дать прободение желудка, он упадет. Итальянцы будут его обходить, подумают, что наркоман...

Она вспомнила лица итальянцев, глазеющих на гуттаперчевого йога. Он свивался в узел, достигал совершенства гибкости тканей и суставов. А мог бы сломаться и упасть, и у людей не изменились бы лица. Это было одно глазеющее рыло итальянского мещанства. А мещанство — везде одинаково.

Надя Костина думала: если бы не парализованная мать, ее бы только видели... Здесь сексуальные меньшинства имеют свои клубы и кафе. Можно полноценно собираться и не выглядеть белой вороной.

Лаша то поднимал, то опускал брови. Он недоумевал: какие есть бессовестные люди. Бросить родственников, отца, мать, детей — и не просто бросить, а кинуть на ржавый гвоздь. Кто примет таких детей в институт? Кто возьмет таких жен на работу? Пусть даже у Минаева будет дом из белого мрамора, и такая лампа, и даже такая женщина, как на фоторекламе. Но он, Лаша, подавился бы этим всем, если бы знал, что его мать и дети в это время плачут и давятся от слез...

Михайлов припомнил, что Минаеву 33 года. А ему, Михайлову, 48. Плюс пятнадцать. Но именно плюс пятнадцать решают все дело. Поздно. Его поезд ушел. Надо дожить, как жил. Долюбить то, что дано.

Двоеженец Лева завидовал. Не тому, что Минаев сбежал. А тому, что способен на поступок. На риск. Кто не рискует, тот не выигрывает. Он, Лева, не способен на поступок. На рывок. И поэтому стоит на месте, и его засасывает, засасывает, и скоро чавкнет над макушкой.

Старушке было плевать на Минаева. Но не плевать на последствия. Группу могут наказать за отсутствие бдительности и лишить следующих поездок. Официально разрешается ездить раз в три года. Значит, теперь могут выпустить только через шесть и даже через девять лет. А девять лет в ее возрасте — это такой срок, когда планов не строят.

— Сволочь какая, — повторила старуха. И опять было непонятно, кого она имеет в виду, ибо слово «сволочь» женского рода, производное от глагола «волочить». Это то, что сволочено в одно место бороной с пашни: сор, бурьян, сухая трава...

Юкин не думал ни о чем. Он хотел спать и клал голову Стелле на плечо.

А Стелла размышляла: были бы деньги — сбежать с Юкиным и любить его в доме с бассейном. Нарожать красивых детей. К детям — няньку. К обеду — плоды авокадо, гуайява, киви и папайя. И солнце десять месяцев в году.

На лице Стеллы стояла нежная мечтательная улыбка, которая ей очень шла.

Автобус сделал стоянку на автозаправке. Все вышли поразмяться.

— Я знала, что у него есть деньги, — возбужденно говорила «настройщица», — но он все время крутился возле Романовой, я думала, Романова его растрясет...

— Как растрясет? — спросил Богданов.

— Ну, заставит потратиться. Непонятно?

— А зачем? — не понял наивный Богданов.

Он действительно не понимал, что в том кругу, где вращается эта женщина, главным мерилом отношений являются деньги. Как в капиталистической экономике. Нравится — плати.

У Романовой было конкретное воображение: она представила себе Раскольникова, которого приподняла за шиворот и трясет, и из него сыплются монеты и со звоном ударяются о мостовую.

Романова отошла. Ей стало противно, что ее хрупкое, чистое, живое чувство трогают грязными руками. Ей было жаль своего чувства, как новорожденного ребенка, которого бросили. А он уже живой. Уже человек.

Романова погрузилась в тоску. На самое дно. И больше ничего не видела вокруг себя. И запомнила как-то смутно. Автобус шел и останавливался, где-то они слезали и рассматривали развалины старого публичного дома с остатками фресок. Фрески имели скабрезное содержание, но выполнены с юмором. Значит, карикатура существовала еще тогда.

Потом было море. Морское побережье. Все бросились купаться. Летели морские брызги, и смех, как брызги.

Романова лежала на берегу, в плаще, с закрытыми глазами. Воняло мазутом. Она легла возле какого-то гаража. И когда потом поднялась, увидела, что ее плащ запачкан мазутом.

Из волн выходила большая белая Стелла. Возле нее Юкин — в брызгах с большими зелеными глазами. Он подхватывал ее на руки, и уносил снова в море, и сбрасывал там, как тяжесть. Они были молоды, счастливы и не скрывали ни того, ни другого. Ни третьего.

После поступка Раскольникова-Минаева уже никто ничего не скрывал. Он как будто снял все условности и запреты. Заразил микробом вседозволенности.

С группой что-то случилось. Все пошло вразнос.

Строгие музейные дамы выбрали себе кавалеров и — как на войне. Однова живем. Завязавшие алкоголики — развязали. Вошли в штопор. Шел пир во время чумы. Группа советских туристов превратилась в табор.

Романова ни в чем не участвовала. Она тосковала. Раскольников ушел, вырвал с мясом кусок души, и на месте отрыва текла кровь. И болело. Однажды отвлеклась от боли и увидела себя на пароходике. Группа направлялась на остров Капри. Юкин держал большой венок из еловых веток с натуральными красными гвоздиками, вделанными в хвою.

— Что это? — спросила Романова.

— К памятнику возложить.

— Кому?

— Ленину, кому же еще...

В программу входило возложение венка.

Юкин был пьян и все время норовил лечь на венок. И улегся в конце концов. И заснул. Надя Костина растянулась рядом.

Итальянцы показывали пальцами и говорили одно слово:

— То-ва-ри-щи...

Говорили по слогам, потому что сразу было трудно произнести.

Памятник Ленину виднелся с берега. Его профиль был высечен на белой колонне, и Ленин мало походил на самого себя. Возможно, местному скульптору дали только словесный портрет: профиль, лысина и борода.

Когда сходили с пароходика, Богданов подал Романовой руку.

— Не трогай ее за руку, — предупредил двоеженец. — Останешься...

— Почему? — не понял Богданов.

— А ты думаешь, почему Минаев сбежал?

— А почему?

— Влюбился и сбежал.

— Если бы влюбился, не сбежал, — откомментировала Надя Костина. — Или хотя бы предупредил: дескать, «не жди».

— А может, и предупредил, — не выдержала Романова. Самолюбие победило здравый смысл.

Лаша округлил глаза:

— А что же ты нам не сказала?

— Все на экскурсию ехали. Где я вас возьму?

— Все равно. Надо было предупредить, — заметила старушка аккуратным голоском.

Романова поняла, что сделала нечто крайне опрометчивое. Но слово не воробей... Оно уже вылетело. И взвилось в высоту.

Романова испытала томление под ложечкой, как будто оттолкнулась на санках с горы и заскользила вниз. Куда? А черт его знает. Может быть, там в конце концов прорубь с зеленой водой...

Теперь к чувству боли примешивался СТРАХ. Мысли заметались, как мышь в уборной. Какой выход?

Романова сообразила, что Руководителю доложат. Возможно, уже доложили. И будет лучше, если он все узнает ОТ НЕЕ.

Группа шла по тропинкам острова Капри.

Экскурсовод показывал дом, где жил Горький. Здесь жил Горький, и его друзья, и семья, и очаровательная невестка Тимоша, в которую все были влюблены. Зачем Горький послушал Сталина и вернулся?

Романова подошла к Руководителю и тронула его за рукав:

— Мне надо с вами поговорить.

И рассказала от начала до конца, включая отвисшую челюсть, подругу Машу, Провидение Господне, розданные метлы, двух музыкантов и двух наркоманов.

Романова говорила, говорила и чувствовала, как исторгающиеся слова облегчают не только душу, но и плоть. Было тяжело, как будто заглотнула камень. А теперь этот камень дробился и высыпался песком.

Романова закончила. Руководитель молчал. Потом спросил:

— Вы кому-нибудь это говорили?

— Да.

— Кому?

— Всем.

— Так...

Тропинка вилась в гору. Идти было тяжело.

— Я виновата в том, что не предупредила? — прямо спросила Романова.

— Почему? Предупреждать — это вовсе не ваша функция. Вы турист. Ваша задача — видеть и познавать. А не предупреждать.

— Вот именно, — обрадовалась Романова.

Руководитель остановился. Смотрел по сторонам. Они стояли на высоком холме. Внизу море выпирало боком, и было заметно, что Земля в этом месте закругляется.

— В тридцать седьмом меня посадили, — сказал Руководитель. — Я сидел в камере с одним паханом. Он меня учил: то, что ты не скажешь, прокурор никогда не узнает. Все, что он может узнать, — только от тебя.

Руководитель давал совет: молчи.

— Меня посадят? — тихо спросила Романова.

— Посадить не посадят, но кислород могут перекрыть.

Перекрыть кислород — значит не давать работу. Не печатать. Забыть. Была такая художница и больше нет.

Именно об этом предупреждал Раскольников, уходя:

— Я не хочу, чтобы у тебя из-за меня были неприятности.

— А я хочу!

— Будут.

Теперь можно сказать: есть.

Рим. Последний день.

— Ну? — спросила Маша.

— Сбежал...

— Так... Ты кому-нибудь сказала?

— Сказала, — упавшим голосом ответила Романова.

— А про меня?

— И про тебя.

Наступила тишина. Романова подумала, что телефон отключился, и подула в трубку.

— Не дуй. Я здесь, — отозвалась Маша. — Ты что, не понимаешь, что меня теперь не выпустят в Москву к матери?

Романова тяжело замолчала.

Если разобраться: человек захотел жить и работать в чужой стране. Почему Гоголь мог прожить в Италии восемь лет? И Ленин, в конце концов, сочинял революцию в Швейцарии. Почему им можно? А Раскольникову нельзя? Почему он должен удирать, будто прыгать с пятого этажа? И почему теперь все должны это расхлебывать?

— А ты-то при чем? — спросила Романова.

— А при том, что я должна была заявить. А я не заявила.

— Почему мы все должны быть доносчиками? Разве у них нет для этого специальных людей? Почему мы все поголовно должны стучать друг на друга?

— Ты где живешь? — спросила Маша.

Этот же вопрос задавал Раскольников. Как на него ответить? Почему надо было выехать в Италию, чтобы УВИДЕТЬ, где она живет? Почему всем ясно, а ей нет?

Сорок тысяч «почему». Вот и стой, перемазанная дегтем.

— Я себя ненавижу, — сказала Романова.

— Я тебя тоже, — не пощадила Маша.

Положила трубку. Разговор был окончен.

Романова легла на кровать и заплакала. Путешествие по Италии закончилось. Восемь дней. Пять городов.

В аэропорту Шереметьево все высматривали своих.

Стеллу встречал Большой Плохой художник. Юкин смотрел в сторону, как незнакомый человек.

За Руководителем прислали машину.

— Если хотите, я вас подвезу, — предложил он Романовой.

— Нет. Спасибо. Я на такси.

Романовой хотелось остаться одной. Ей хотелось поскорее очистить от себя Италию, как мазут с плаща.

Встречала Нина. Издалека было заметно, что она кое-как питалась эти десять дней.

— Худеешь? — догадалась Романова.

— Ага. На полтора килограмма.

Нина все время боролась с весом, хотя никакого веса не было. Одни ноги и руки.

Музейных дам разобрали их добропорядочные семьи.

А Богданова задержали. Рядом с «настройщицей» стоял человек в сером и задавал вопросы. Видимо, он приехал встретить рейс. Богданов жил в одной комнате с Минаевым и, с их точки зрения, нес основную ответственность. Он мог знать больше, чем остальные. И это надо было проверить.

Когда Романова и Нина прошли мимо, волоча чемодан, тетка что-то летуче сказала Серому. Он кинул на Романову полвзгляда, четверть взгляда и отвел глаза. Но Романова почти физически ощутила на своем лице мажущий след.

— Меня в тюрьму посадят, — сказала она Нине.

Нина легко захохотала, сверкнув зубами. Ей это было смешно.

Руководитель ласково посмотрел на Нину и сказал:

— У вас такая дочь, а вы боитесь...

При чем тут дочь... Какая связь. Когда и кого из ТЕХ людей останавливали хорошие дочери...

Страсть и Страх — сильные чувства. Как кипяток. Человек не может жить в кипятке. Человек должен существовать с температурой тридцать шесть и шесть. Это совместимо с жизнью. Так что жизнь диктует свои условия. И права. И обязанности. В обязанности входило вывозить Нину на дачу. В среду из командировки вернулся муж. Он был физик-атомщик, и чем занимаются на объекте физики-атомщики, рассказывать не принято.

В субботу переезжали на дачу. Сносили вещи в машину. В этот неподходящий момент зазвонил телефон.

— Тебя, — сказал муж.

— Кто? — спросила Романова.

— Мужик какой-то...

— Что хочет?

— Спроси сама.

— Да! — Романова держала трубку возле щеки... Обе руки были заняты.

— Здравствуйте, — интеллигентно отозвался голос. — С вами говорит секретарь партийной организации Илья Петрович Муромец.

— Здравствуйте, — ответила Романова.

— С вами в поездку ездил некий Минаев...

— Да. И что?

Романова следила глазами, как Нина тащит мольберт. Она держала его вниз головой, если можно так сказать, и «голова» сейчас отлетит, скатится со штатива.

— Нина! — душераздирающе крикнула Романова. — Как ты держишь!

— Извините, — сказали в трубку. — Я, наверное, не вовремя звоню.

— А что вы хотели? — нетерпеливо спросила Романова.

— Ну ладно. Я как-нибудь позже позвоню.

— До свидания, — попрощалась Романова. Освободила руку и этой освободившейся рукой положила трубку на рычаг. — Ничего тебе нельзя поручить, — с раздражением сказала дочери.

— А что я такого сделала? — растерялась Нина.

И в самом деле.

Прежняя декорация — Венеция, Флоренция, Рим — сменилась на деревню Жуковка и кобеля Чуню, которого почему-то звали по фамилии хозяина: Чуня Володарский.

Жизнь — театр. Когда меняются декорации, то меняется и драматургия. Пошел другой сюжет: завтраки, обеды, ужины, мытье посуды, а в перерывах — работа.

На сердце осталась глубокая борозда. Эту борозду она вычертит на холсте. Все в костер. А что делать? Она — влюбилась. Сошла с ума. Это не понадобилось. Как в себе это все рассовать? По каким полкам? На одну полку — страсть. На другую — страх. На третью — обиду.

Заставить всю душу полками. А не лучше все вытряхнуть на холст: и страсть, и тоску, и его легкое дыхание...

Романова нашла свою точку на краю деревни: изгиб реки, ива наклонилась низко, почти упала, но не упала — отражается в воде вместе со стволом. Стволы — настоящий и отраженный — как две ноги. Брошенная женщина с обнаженными ногами.

Романова искала слом света, воздуха и воды. Главное — освещение. Одна нога — на земле. На корнях. Другая — зыбкая. Ее нет. Человек и его грезы. Деревня Жуковка и Венеция. Муж и Раскольников. Романова и Романова.

Жизнь — свалка. И только искусство примиряет человека с жизнью.

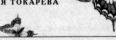

Наступила осень.

Нина пошла в десятый класс. Надо было нанимать ей преподавателей.

Муж уезжал на объект. Взрывал атомную бомбу и возвращался домой с большой премией. Крепил мощь своей страны и мощь семьи. Вполне мужское занятие.

Шурка предложил сделать новую книгу про рыцарей. Романова рисовала рыцарей, как муравьев: узкое, как палочка, тельце, точечка — головка. И большое копье.

— Это не рыцари, — сказал Шурка. — Это пираты.

— Какая разница? — возразила Романова. — Одно и то же.

— У них разные цели: пираты отнимают, а рыцари защищают.

— Цели разные, а действия одни. Машут копьями и протыкают насквозь.

— Да? — Шурка задумался, подперев голову кулаком.

И в это время раздался телефонный звонок.

— С вами говорит майор Попович, — представился голос.

— Космонавт? — удивилась Романова.

— Комитет государственной безопасности.

Тот Муромец. Этот Попович. Сплошные былинные герои.

— Вы можете зайти? — спросил майор.

— Когда?

— Чем скорее, тем лучше. Давайте сегодня. В четыре.

«После обеда, — подумала Романова. — Поест и посадит».

— Я вас жду.

— С вещами?

— Что за шутки... — строго одернул майор. — Вам будет заказан пропуск.

Он положил трубку.

— Я боюсь. — Романова с ужасом смотрела на Шурку. — Я думала, все кончилось. А все только начинается.

— Хочешь, я пойду с тобой? — самоотверженно предложил Шурка.

— Хочу.

Дом — в центре города. Голубой особняк. Интересно, кто здесь жил раньше?

Майор Попович стоял на крыльце особняка и ждал, напряженно глядя перед собой. Был он белесый, бледный, как шампиньон, нос сапожком. Довольно молодой для майора. Быстро продвинулся.

Романова приближалась подскакивающей походкой, держась за Шуркин локоть.

Шурка не брился два дня, вылезшая щетина казалась синей. Вязаная шапка до бровей. Шурка выглядел зловеще, как бандит с большой дороги.

— Это вы? — догадалась Романова. — А это я.

Попович с недоумением посмотрел на Шурку, как бы спрашивая: «А этот откуда?»

— Знаете, я ревную. Никуда одну не отпускаю, — объяснил Шурка.

Майор сделал каменное лицо и сказал:

— В кабинет я вас не пущу. Подождите здесь.

— Долго?

— Полчаса, — сухо сказал майор.

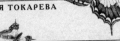

— Ну хорошо, — согласился Шурка, доверяя Романову на полчаса. — Но не больше.

Попович вошел в особняк. Зашагал по коридору. Романова семенила следом.

— Не могла одна прийти? — семейным голосом прошипел Попович.

— Мы вместе книгу делаем. Детскую. Он пишет стихи, а я рисунки.

Романова как бы намекала, что она человек мирный, неопасный для страны и надо поскорее отпустить ее на благо детской литературы.

Вошли в маленький кабинет. Стол. Сейф. Пыль. Для художника — ничего интересного.

— Ну? — спросил майор.

— Что?

— Рассказывайте.

— О чем?

— О вашей поездке в Италию.

— А что рассказывать? Группа поехала. Все вернулись, а один сбежал. Минаев, кажется...

— А раньше вы его знали?

— Нет. Мы познакомились перед самым отъездом. В аэропорту.

— А вот у меня тут сигнал, что вы помогли Минаеву сбежать на Запад.

— ЧЕГО? — переспросила Романова.

— Вы с Минаевым заранее все подготовили. Обо всем договорились. А в Риме вы помогли ему выполнить операцию.

«Операция», «заговор». Посадят. Посадят обязательно. В этот голубой дом просто так не вызывают. Хорошо бы в тюрьму, а не в психушку. В психушке гормональные уколы. Сделают идиоткой. А в тюрьме все-таки природа. Тайга. Разное освещение. Можно будет порисовать.

— Кто вам дал такой сигнал? — спросила Романова.

— Из вашей группы. Свои.

— Кто?

— Я не могу это сказать. Не имею права.

Романова стала мысленно перебирать состав группы.

Руководитель? Невозможно. Он порядочный человек. Хоть и обласкан.

Лаша? Лаша дурак, но не подлец.

Михайлов? Нет. Он признан. Ему незачем выслуживаться.

Костина? Она пила.

Юкин? Он любил.

Старушка? А ей-то зачем?

«Настройщица»? Но она не из группы. Не своя.

— Кто вам это сказал? — снова спросила Романова.

— Здесь спрашиваю я, а не вы, — строго напомнил Попович и устремил на Романову профессионально-испытующий взор. Романова успела заметить, что глаза у него добрые, как у Чуни Володарского, и лает он не зло и нехотя, а только чтобы слышали хозяева.

— Я его не знала в Москве. Мы познакомились с ним в Италии.

— А вы сказали — в аэропорту...

— Мы познакомились в первый день поездки, а на четвертый он сбежал.

— А зачем он вас предупредил?

— Он не предупреждал. Он что, дурак?

— Но вы рассказали, что он вас предупреждал.

— Я сказала. Но я наврала.

— Зачем?

— Мне было неудобно. Он ухаживал за мной. Все время держал за руку...

— Ну и что?

— Держал за руку. Обнимал за плечи. А потом бросил у всех на виду. И даже не сказал «до свидания»...

— Значит, вам было важно, чтобы он сказал «до свидания»?

— Конечно.

— А то, что он предал Родину?

— А это уже ваши дела. Я вернулась, а за других я не отвечаю. У меня другая специальность.

Помолчали. Пролетел тихий ангел.

— У нас тут один в Швеции сбежал, — вдруг доверительно сказал Попович. — Может, действительно молодым трудно? Может, МЫ что-то не учитываем?

— Мне не трудно, — сказала Романова. — А за остальных я не отвечаю.

Поповича устраивал такой ответ. Получалось, что МЫ не виноваты. Виноваты другие.

— Пишите, — сказал он и подвинул бумагу.

— Что?

— Напишите, что вы его раньше не знали. Больше ничего не надо.

— Одну строчку?

— Можно две.

Романова поняла: их интересовало — был заговор или нет? Заговора не было. Романова не заговорщица, а просто вертихвостка. Версия отработана. Галочка поставлена. Он, майор Попович, завтра положит отчет перед начальством. И пойдет в отпуск.

— Написала. — Романова отодвинула листок.

— Можете идти. Давайте я вам отмечу пропуск.

Он посмотрел на часы и записал время.

Романова взяла бумажку. Пошла к дверям. Перед тем как выйти, обернулась.

Попович рылся в папке. Он уже забыл о Романовой, как Арсений в Италии.

— Простите...

— Да? — Попович поднял голову.

— А вы что-нибудь знаете о Минаеве... Какие-нибудь сведения...

— Только непроверенная информация. — Попович не хотел отвечать.

Романова не уходила.

— Нашли тело без признаков насильственной смерти, — бесцветно сказал Попович.

— А что это значит?

— Умер. Или покончил с собой.

Романова стояла с открытым ртом. Поповичу показалось, что она что-то сказала.

— Что? — не понял Попович.

— Ничего.

***

Шурка ходил возле голубого дома. Туда и обратно.

— Я в туалет хочу, — сказал он, увидев Романову. — Сюда нельзя зайти?

Романова не ответила.

— Лучше не надо, — посоветовал себе Шурка. — А то войдешь, и не выпустят.

Они пошли по улице. Романова не видела, куда идет. Она передвигалась, как лунатик, когда человека ведет не разум, а Луна.

Что произошло? Он не дошел до посольства? Испугался, что американцы выдадут его своим? И не решился вернуться обратно. Не доверял Романовой. Он ходил, ходил, без еды и без сна, под невыносимым грузом разлуки. И не выдержал. Покончил с собой. Или просто умер. Ему много не надо. Лег под мостом и не встал...

Зашли в кафе. Шурка предложил остаться и выпить.

Сели за столик возле окошка.

— Что он тебе сказал? — спросил Шурка.

— А? — Романова очнулась.

— Что тебе сказал этот майор?

— По-моему, они халтурят. Ленятся. Бериевские псы ни за что бы не выпустили. А этот поверил на слово.

— У меня есть школьный друг. Разведчик. На Кубе работал руководителем группы. Жили, как в раю: теплое море, деньги, фрукты — круглый год. Он в один прекрасный день все бросил и вернулся.

— Почему?

— Никто ничего не делает. Вместо того, чтобы сведения собирать, отправляются на рыбалку. Как Хемингуэй.

Официант принес водку, селедку и отварную картошку, посыпанную зеленым лучком. Картошка была красивая, крупная, желтомясая.

— Масло, — напомнил Шурка.

Официант отошел.

— Если эти системы халтурят, то думаю — дело плохо, — заключил Шурка. — Скоро все развалится. Рухнет.

— А когда?

— Не знаю. Мне все равно.

— Почему?

— Так... — неопределенно сказал Шурка и разлил по рюмкам.

— За майора Поповича, — предложила Романова.

Она приподняла рюмку, посмотрела зачем-то на просвет. Вспомнила майора Поповича, простого крестьянского парня. Если бы он проявил рвение, раскрутил дело, то в лучшем случае перекрыл кислород, не дал работать. Мужа — вон с секретной службы. А в худшем случае — мог бы посадить. Разве мало диссидентов спрятано по тюрьмам? Тот, кто писал донос, знал, что делает.

— Меня чужой выручил, а свои заложили, — сказала Романова.

Шурка выпил. Потом стал есть.

Романова подумала и тоже выпила. Водка была холодная, пронзительная, как глоток свежего воздуха.

— Когда свои жрут своих, значит, скоро все развалится, — повторил Шурка.

— Когда? — снова спросила Романова.

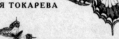

— В один прекрасный день. Все рухнет, и встанет высокий столб пыли. А я посмотрю с другого берега.

— Ты решил уехать?

Шурка опять налил и опять выпил.

— В Израиль?

— Вряд ли. Еврейство сильно не Израилем, а диаспорой во всем мире.

— А тебе не жаль нашу страну? — серьезно спросила Романова.

— Почему вашу? Она и моя. Я — русский человек. Я бы никогда не вспомнил, что я еврей, если бы мне не напоминали.

Шурка снова разлил водку. Романова выпила жадно, будто жаждала. Потом налила в стакан и выпила полстакана. Предметы вокруг стали еще отчетливее, как в стереоскопическом кино.

— Когда Иуда повесился? — спросила Романова. — Через сколько времени после распятия?

— Не знаю. А зачем тебе?

— Не уезжай, Шурка. Пропадешь.

— Знаешь, как меня зовут?

— Шурка.

— А моего папу?

— Семен Михайлович.

— Сруль Моисеевич, — поправил Шурка. — А я Александр Срулевич. Сейчас мне сорок. Я Шурка. А через пять лет без отчества будет неприлично. А с этим отчеством я тут не проживу.

— Поменяй.

— Не хочу.

— Не все ли равно — как зовут...

— Не все равно. Почему человек должен стыдиться своего имени, которое он получил от родителей?

А вдруг МАША? — метнулось в мозгу. Нет, нет и нет... Надо срочно отогнать эту мысль, залить ее водкой. Иначе нельзя жить. Дальше остаются муж и Нина. А потом — она сама. Тогда надо подозревать себя. И ехать в сумасшедший дом. Прямо из кафе.

В кафе вошел слепой в черных очках. Романова усомнилась: натуральный слепец или притворяется?

Дальше она ничего не помнила, кроме того, что куда-то ехала и оказалась в квартире Шуркиного товарища.

Романова догадалась, что это экс-шпион, тот, что уехал с Кубы, а на самом деле получил повышение и сейчас ему поручено следить за Романовой. Ему дано задание ее убить. Романова общалась с хозяином дома и его женой, строила свой диалог так тонко и двусмысленно, что они поняли: ее не надо убивать. Это нецелесообразно.

Потом она почему-то лезла через балкон на улицу, а ее затаскивали обратно и порвали юбку. А в конце всего — трещина на обоях. Это ее обои и ее трещина. Значит, ее дом. Ее доставили и сложили на кровать, как дрова.

...Открылась дверь. В комнату вошел Раскольников. Без сумки. Сумку он оставил на Земле.

Романова не удивилась.

— Как все случилось? — с волнением спросила она и протянула к нему обе руки. — Как?

Раскольников хотел ответить, но зарыдал.

Он плакал по себе, по своим детям, честолюбивым замыслам, по страстной плотской любви, которая бывает только на Земле. Он плакал от досады, что все так быстро, жестоко и бездарно окончилось для него. И ничего нельзя поправить. Ибо поправить можно все, кроме одного: сделать из мертвого человека — живого.

Она сидела на кровати, не двигаясь с места. Все понимала. Любила бесконечно. Это была любовь-ворона. Дольше жизни. Дольше человека.

— Хочешь, я к тебе переберусь? — самоотверженно предложила Романова. — Мне здесь все равно нечего делать...

— Не надо... Я подожду...

— Но это долго.

— Недолго... Космические сутки длятся семнадцать земных веков. Один час — семьдесят один год. Так что встретимся через час. Даже немножко раньше.

Он повернулся и пошел в черную дыру открытой двери. Как тогда, в гостинице. И как тогда, ей захотелось крикнуть: «Подожди!»

Прошел год.

Шурка Соловей уехал в Израиль и прислал одно письмо с одной фразой: «Еврейство сильно не Израилем, а диаспорой во всем мире».

В Израиле перестают быть гонимым народом, расслабляются, и пропадает эффект натяжения, дающий Эйнштейнов и Чаплиных.

В Нину влюбился плохой мальчик Саша из ее класса. Плохого в нем было то, что очень красивый. Романова тут же перевела Нину в другую школу, за три остановки от дома. На новом месте в нее влюбился мальчик Паша, провожал до самого подъезда. Паша тоже никуда не годился, но Романова махнула рукой. Поняла, что бороться бессмысленно. На смену Паше придет какой-нибудь Кеша. Настал возраст любви.

На Рождество в Москву приехала Маша с обширным багажом и в широкополой шляпе, какие носили в период немого кино. Ее встречали многочисленные друзья с семьями. Набралось человек сорок. Не меньше. Маша любила пышно обставлять свой приезд. Это был ее маленький театр.

Носильщики вытаскивали из купе чемоданы и сумки. Багаж — в стиле ретро. Дополнение к образу.

— Ты помнишь Куваева? — спросила Маша, считая багаж. — Которого мы уговаривали на площади...

— Минаева, — поправила Романова.

— Правильно, Минаева. Знаешь, на ком он женился? — Маша выждала эффектную паузу. — На дочери эфиопского короля. На принцессе. У них дворец из белого мрамора.

— В Эфиопии?

— В Париже. На площади Трокадеро. Самый престижный район.

— А как они там оказались?

— В Эфиопии произошел переворот, и папаша-король сбежал во Францию вместе с семьей и деньгами. А у Минаева в Париже шла пьеса. Они в театре и познакомились. Представляешь? А я ему метлу обещала, дворы подметать...

— Не обещала, — уточнила Романова. — Ты сказала, что все метлы розданы.

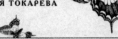

— Представляю себе, как он сейчас смеется над нами. Хихикает в кулак...

— Он умер, — мрачно сказала Романова. — Покончил с собой.

— Ерунда. Это КГБ распускал слухи, чтобы другим неповадно было сбегать.

Маша отошла к носильщику, чтобы рассчитаться.

Подул ветер и снес шляпу с Машиной головы. Шляпа пролетела по воздуху, потом покатилась по земле, как колесо. Еще несколько метров, и ее занесет под тяжелый, грязный состав.

Все всполошились и, как заполошные куры, бросились догонять шляпу. И Маша тоже побежала.

А Романова осталась стоять. Смотрела и думала: кто же надевает такую шляпу в такой климат...

...Успеют, не успеют... Схватят, не схватят... Все бегут за счастьем, как за шляпкой, с вытянутой рукой, вытаращенными глазами, достигают верхнего ля-бемоль, умирают под мостом, женятся на принцессах, плачут до рвоты, надеются до галлюцинаций — и все за полтора часа. Даже если жизнь выпадает длинная, в сто лет — это всего полтора часа. Даже меньше. Как сеанс в кино.

Старая собака

Инна Сорокина приехала в санаторий не за тем, чтобы лечиться, а чтобы найти себе мужа. Санаторий был закрытого типа, для высокопоставленных людей, там вполне мог найтись для нее высокопоставленный муж. Единственное условие, которое она для себя оговорила, — не старше восьмидесяти двух лет. Все остальное, как говорила их заведующая Ираида, имело место быть.

Инне шел тридцать второй год. Это не много и не мало, смотря с какой стороны смотреть. Например, помереть — рано, а вступать в комсомол — поздно. А выходить замуж — последний вагон. Поезд уходит. Вот уже мимо плывет последний вагон. У них в роддоме тридцатилетняя женщина считается «старая первородящая».

Замужем Инна не была ни разу. Тот человек, которого она любила и на которого рассчитывала, очень симпатично слинял, сославшись на объективные причины. Причины действительно имели место быть, и можно было понять, но ей-то что. Это ведь его причины, а не ее.

В наше время принято выглядеть на десять лет моложе. Только малокультурные люди выглядят на свое. Инна не была малокультурной, но выглядела на свое — за счет лишнего веса. У нее было десять лишних килограмм. Как говорил один иностранец: «Ты немножко тольстая, стрэмительная, и у тебя очень красивые глаза...»

Инна была «немножко тольстая», высокая крашеная блондинка. Волосы она красила югославской краской. Они были у нее голубоватые, блестящие, как у куклы из магазина «Лейпциг». Время от времени она переставала краситься — из-за хандры, или из-за того, что пропадала краска, или лень было ехать в югославский магазин, — и тогда от корней начинали взрастать ее собственные темно-русые волосы. Они отрастали почти на ладонь, и голова становилась двухцветной — половина темная, а половина белая.

Сейчас волосы были тщательно прокрашены и промыты и существовали в прическе под названием «помоталка». Идея прически состояла в следующем: вымыть голову ромашковым шампунем и помотать головой, чтобы они высохли естественно и вольно, без парикмахерского насилия.

Одета Инна была в белые фирменные джинсы и белую рубаху из модной индийской марли и в этом белом одеянии походила на индийского грузчика, с той только разницей, что индийские грузчики — худые брюнеты, а Инна — плотная блондинка.

Войдя в столовую, Инна оглядела зал. Публика выглядела как филиал богадельни. Старость была представлена во всех вариантах, во всем своем многообразии. Средний возраст, как она мысленно определила, — сто один год.

Инна поняла, что зря потратила отпуск, и деньги на путевку, и деньги на подарок той бабе, которая эту путевку доставала.

Инну посадили за стол возле окна на шесть человек. Против нее сидела старушка с розовой лысинкой, в прошлом клоун, и замужняя пара. Он — по виду завязавший алкоголик. У него были неровные зубы, поэтому неровный язык, как хребет звероящера, и привычка облизываться. Она постоянно улыбалась, хотела понравиться Инне, чтобы та, не дай Бог, не украла ее счастье в виде завязавшего алкоголика с ребристым языком. Одета была как чучело, будто вышла не в столовую высокопоставленного санатория, а собралась в турпоход по болотистой местности.

Завтрак подавали замечательный, с деликатесами. Но какое это имело значение? Ей хотелось пищи для души, а не для плоти. Хотелось влюбиться и выйти замуж. А если не влюбиться, то хотя бы просто устроиться. Человеческая жизнь рассчитана природой так, чтобы успеть взрастить два поколения — детей и внуков. Поэтому все надо успеть своевременно. Эту беспощадную своевременность Инна наблюдала в прошлый отпуск в деревне. Три недели стояла земляника, потом пошла черника, а редкие земляничные ягоды будто напились воды. Следом — малина. За малиной — грибы. Было такое впечатление, что все эти дары лета выстроились в очередь друг за дружкой и тот, кто стоит в дверях, выпускает их одного за другим на определенное время. И каждый вид знает, сколько ему стоять. Так и человеческая жизнь: до четырнадцати лет — детство. От четырнадцати до двадцати четырех — юность. С двадцати четырех до тридцати пяти — молодость. Дальше Инна не заглядывала. По ее расчетам, ей осталось три года до конца молодости, и за эти три года надо было успеть что-то посеять, чтобы потом что-то взрастить.

Внешне Инна была высокая блондинка. А внутренне — наивная хамка. Наивность и хамство — качества полярно противоположные. Наивность связана с чистотой, а хамство — с цинизмом. Но в Инне все это каким-то образом совмещалось — наивность с цинизмом, ум с глупостью и честность с тяготением к вранью. Она была не врунья, а вруша. На первый взгляд это одно и то же. Но это совершенно разные вещи. По задачам. Врунья врет в тех случаях, когда путем вранья она пытается чего-то достичь. В данном случае — это оружие. Средство. А вруша врет просто так. Ни за чем. Знакомясь с людьми, она говорила, что работает не в родильном доме, а в кардиологическом центре, потому что сердце казалось ей более благородным органом, чем тот, с которым имеют дело акушерки. В детстве она утверждала, что ее мать не уборщица в магазине, а киноактриса, работающая на дубляже (поэтому ее не бывает видно на экранах).

Наивность среди прочих проявлений заключалась в ее манере задавать вопросы. Она, например, могла остановить крестьянку и спросить: «А хорошо жить в деревне?» Или

спросить у завязавшего алкоголика: «А скучно без водки?» В этих вопросах не было ничего предосудительного. Она действительно была горожанка, никогда не жила в деревне, никогда не спивалась до болезни, и ее интересовало все, чего она не могла постичь собственным опытом. Но, встречаясь с подобным вопросом, человек смотрел на Инну с тайным желанием понять: она дура или придуривается?

Что касается хамства, то оно имело у нее самые разнообразные оттенки. Иногда это было веселое хамство, иногда обворожительное, создающее шарм, иногда умное, а потому циничное. Но чаще всего это было нормальное хамское хамство, идущее от постоянного общения с людьми и превратившееся в черту характера. Дежуря в предродовой, она с трудом терпела своих рожениц, трубящих как слоны, дышащих как загнанные лошади. И роженицы ее боялись и старались вести себя прилично, и бывали случаи — рожали прямо в предродовой, потому что стеснялись позвать лишний раз.

Возможно, это хамство было как осложнение после болезни — дефект неустроенной души. Лечить такой дефект можно только лаской и ощущением стабильности. Чтобы любимый муж, именно муж, звонил на работу и спрашивал: «Ну, как ты?» Она бы отвечала: «Да ничего...» Или гладил бы по волосам, как кошку, и ворчал без раздражения: «Ну что ты волосы перекрашиваешь? И тут врешь. Только бы тебе врать».

Прошла неделя. Погода стояла превосходная. Инна томилась праздностью, простоем души и каждое утро после завтрака садилась на лавочку и поджидала: может, придет кто-нибудь еще. Тот, кто должен приехать. Ведь не может же Он не приехать, если она ТАК его ждет.

Клоунесса усаживалась рядом и приставала с вопросами. Инна наврала ей, что она психоаналитик. И клоунесса спрашивала, к чему ей ночью приснилась потрошеная курица.

— Вы понимаете, я вытащила из нее печень и вдруг понимаю, что это моя печень, что это я себя потрошу...

— А вы Куприна знали? — спросила Инна.

— Куприна? — удивилась клоунесса. — А при чем здесь Куприн?

— А он цирк любил.

Старушка подумала и спросила:

— А как вы думаете, есть жизнь после жизни?

— Я ведь не апостол Петр. Я психоаналитик.

— А что говорят психоаналитики?

— Конечно, есть.

— Правда? — обрадовалась старушка.

— Конечно, правда. А иначе — к чему все это?

— Что «это»?

— Ну Это. Все.

— Честно сказать, я тоже так думаю, — шепотом поделилась клоунесса. — Мне кажется, что Это начало Того. А иначе зачем Это?

— Чтобы нефть была.

— Нефть? А при чем тут нефть?

— Каменный уголь — это растения. Торф. А нефть — это люди. Звери.

— Но я не хочу в нефть.

— Мало ли что...

— Но вы же только что сказали «есть», а сейчас говорите — нефть, — обиделась старушка.

В этот момент в конце аллеи показалась «Волга». Она ехала к главному корпусу, и правильно сказать — не ехала, а летела, будто не касалась колесами асфальтированной дорожки. Инна насторожилась. Так могла лететь только судьба. Возле корпуса машина встала. Не остановилась и не затормозила, а именно встала как вкопанная. Чувствовалось, что за рулем сидел супермен, владеющий машиной, как ковбой мустангом.

Дверца «Волги» распахнулась, и с двух сторон одновременно вышли двое: хипповая старушка с тонкими ногами в джинсовом платье и ее сын, а может, и муж с бородкой под Добролюбова. «Противный», — определила Инна, но это было неточное определение. Он был и привлекателен, и отталкивающ одновременно. Как свекла — и сладкая, и пресная в одно и то же время.

Он взял у старушки чемодан и понес его в корпус. «Муж», — догадалась Инна. Он был лет на двадцать моложе, но в этом возрасте, семьдесят и пятьдесят, разница не смотрится так контрастно, как, скажем, в пятьдесят и тридцать. Инна знала, сейчас модны мужья, годящиеся в сыновья. Как правило, эти внешне непрочные соединения стоят подолгу, как временные мосты. Заведующая Ираида старше своего мужа на семнадцать лет и все время ждет, что он найдет себе помоложе и бросит ее. И он ждет этого же самого и все время высматривает себе помоложе, чтобы бросить Ираиду. И это продолжается уже двадцать лет. Постоянные временщики.

Во время обеда она, однако, заметила, что сидят они врозь. Старушка в центре зала, а противный супермен —

возле Инны. «Значит, не родственники», — подумала она и перестала думать о нем вообще. Он сидел таким образом, что не попадал в ее поле зрения, и она его в это поле не включила. Смотрела перед собой в стену и скучала по работе, по своему любимому человеку, который хоть и слинял, но все-таки существовал. Он же не умер, его можно было бы позвать сюда, в санаторий. Но звать не хотелось, потому что неинтересно было играть в проигранную игру.

Вспоминала новорожденных, спеленатых, как рыбки шпроты, и так же, как шпроты, уложенных в коляску, которую она развозила по палатам. Она набивала коляску детьми в два раза больше, чем положено, чтобы не ходить по десять раз, и возила в два раза быстрее. Рационализатор. И эта коляска так грохотала, что мамаши приходили в ужас и спрашивали: «А вы их не перевернете?»

Новорожденные были похожи на старичков и старушек, вернее, на себя в старости. Глядя на клоунессу, сидящую напротив, и вспоминая своих новорожденных, Инна понимала, что природа делает кольцо. Возвращается на круги своя. Новорожденный нужен матери больше всего на свете, а у глубоких стариков родителей нет, и они нужны много меньше, и это естественно, потому что природа заинтересована в смене поколений.

Клоунесса с детской жадностью жевала холодную закуску. Инна догадывалась, что для этого возраста ценен только факт жизни сам по себе, и хотелось спросить: «А как живется без любви?»

— А где моя рыба? — спросил противный супермен.

Он задал этот вопрос вообще. В никуда. Как философ. Но

Инна поняла, что этот вопрос имеет к ней самое прямое отношение, ибо, задумавшись, она истребила две закуски: свою и чужую. Она подняла на него большие виноватые глаза. Он встретил ее взгляд — сам смутился ее смущением, и они несколько длинных, нескончаемых секунд смотрели друг на друга. И вдруг она увидела его. А он — ее.

Он увидел ее глаза и губы — наполненные, переполненные жизненной праной. И казалось, если коснуться этих губ или даже просто смотреть в глаза, прана перельется в него и тело станет легким, как в молодости. Можно будет побежать трусцой до самой Москвы.

А она увидела, что ему не пятьдесят, а меньше. Лет сорок пять. В нем есть что-то отроческое. Седой отрок. Интеллигент в первом поколении. Разночинец. Было очевидно, что он занимается умственным трудом, и очевидно, что его дед привык стоять по колено в навозе и шуровать лопатой. В нем тоже было что-то от мужика с лопатой, отсюда бородка под Добролюбова. Маскируется. Прячет мужика. Хотя — зачем маскироваться? Гордиться надо.

Еще увидела, что он — не свекла. Другой овощ. Но не фрукт. Порядочный человек. Это было видно с первого взгляда. Порядочность заметна так же, как и непорядочность.

Она все смотрела, смотрела, видела его детскость, беспородность, волосы серые с бежевым, иностранец называл такой цвет «коммунальный», бледные губы, какие бывают у рыжеволосых, покорные глаза, привыкшие перемаргивать все обиды, коммунальный цвет усов и бороды.

— Как вас зовут? — спросила Инна.

— Вадим.

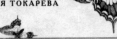

Когда-то, почти в детстве, ей это имя нравилось, потом разонравилось, и сейчас было скучно возвращаться к разочарованию.

— Можно, я буду звать вас иначе? — спросила она.

— Как?

— Адам.

Он тихо засмеялся. Смех у него был странный. Будто он смеялся по секрету.

— А вы — Ева.

— Нет. Я Инна.

— Ин-нна... — медленно повторил он, пружиня на «н».

Имя показалось ему прекрасным, просвечивающим на солнце, как виноградина.

— Это ваше имя, — признал он.

После обеда вместе поднялись и вместе вышли.

Вокруг дома отдыха шла тропа, которую Инна называла «гипертонический круг». На этот круг отдыхающие выползали, как тараканы, и ползли цепочкой друг за дружкой.

Инна и Адам заняли свое место в цепочке. Навстречу и мимо них прошла клоунеса в паре с хипповой старушкой. На старушке была малахитовая брошь, с которой было бы очень удобно броситься в пруд вниз головой. Никогда не всплывешь. Обе старушки обежали Инну и Адама глазами, объединив их своими взглядами, как бы проведя вокруг них овал. Прошли мимо. Инна ощутила потребность обернуться. Она обернулась, и старушки тоже вывернули шеи. Они были объединены каким-то общим флюидным полем. Инне захотелось выйти из этого поля.

— Пойдемте отсюда, — предложила она.

— Поедем на речку.

***

Дорога к реке шла сквозь высокую рожь, которая действительно была золотая, как в песне. Стебли и колосья скреблись в машину. Инна озиралась по сторонам, и казалось, что глаза ее обрели способность видеть в два раза ярче и интереснее. Было какое-то общее ощущение событийности, хотя невелико событие — ехать на машине сквозь высокую золотую рожь.

Изо ржи будто нехотя поднялась черная сытая птица.

— Ворона, — узнала Инна.

— Ворон, — поправил Адам.

— А как вы различаете?

— Вы, наверное, думаете, что ворон — это муж вороны. Нет. Это совсем другие птицы. Они так и называются: ворон.

— А тогда как же называется муж вороны?

— Дело не в том, как он называется. А в том, кто он есть по существу.

Адам улыбнулся. Инна не видела, но почувствовала, что он улыбнулся, потому что машина как бы наполнилась приглушенной застенчивой радостью.

Целая стая взлетела, вспугнутая машиной, но поднялась невысоко, видимо, понимая, что машина сейчас проедет и можно будет сесть на прежнее место. Они как бы приподнялись, пропуская машину, низко планировали, обметая машину крыльями.

Невелико событие — проезжать среди птиц, но этого никогда раньше не было в ее жизни. А если бы и было, она не обратила бы внимания. Последнее время Инна все выясняла отношения с любимым человеком, и ее все время, как говорила Ираида, бил колотун. А сейчас колотун отлетел так далеко, будто его и вовсе не существовало в природе. В природе стояла золотая рожь, низко кружили птицы, застенчиво улыбался Адам.

Подъехали к реке.

Инна вышла из машины. Подошла к самой воде. Вода была совершенно прозрачная. На середине в глубине стояли две метровые рыбины — неподвижно, нос к носу. Что-то ели или целовались.

Инна никогда не видела в естественных условиях таких больших рыб.

— Щелкоперка, — сказал Адам. Он все знал. Видимо, он был связан с природой и понимал в ней все, что надо понимать.

— А можно их руками поймать? — спросила Инна.

— А зачем? — удивился Адам.

Инна подумала: действительно, зачем? Отнести повару? Но ведь в санатории и так кормят.

Адам достал из багажника раскладной стульчик и надувной матрас. Матрас был яркий — синий с желтым и заграничный. Инна догадалась, что он заграничный, потому что от наших матрасов удушливо воняло резиной и этот запах не выветривался никогда.

Адам надул матрас для Инны, а сам уселся на раскладной стульчик возле самой воды. Стащил рубашку.

Инна подумала и тоже стала снимать кофту из индийской марли. Она расстегнула только две верхние пуговицы, и голова шла туго.

Адам увидел, как она барахтается своими белыми роскошными руками, и тут же отвернулся. Было нехорошо смотреть, когда она этого не видит.

Подул теплый ветер. По реке побежала сверкающая рябь, похожая на несметное количество сверкающих человечков, наплывающих фанатично и неумолимо — войско Чингисхана с поднятыми копьями.

Инна высвободила голову, сбросила джинсы, туфли. Медленно легла на матрас, как бы погружая свое тело в воздух, пропитанный солнцем, близкой водой, близостью Адама. Было спокойно, успокоенно. Колотун остался в прежней жизни, а в этой — свернуты все знамена и распущены все солдаты, кроме тех, бегущих над целующимися рыбами.

«Хорошо», — подумала Инна. И подумала, что это «хорошо» относится к «сейчас». А счастье — это «сейчас» плюс «всегда». Сиюминутность плюс стабильность. Она должна быть уверена, что так будет и завтра, и через год. До гробовой доски и после гроба.

— А где вы работаете? — спросила Инна.

Этот вопрос был продиктован не праздным любопытством. Она забивала сваи в фундамент своей стабильности.

— В патентном бюро.

— А это что?

— Я, например, занимаюсь продажей наших патентов за границу.

— Это как? — Инна впервые сталкивалась с таким родом деятельности.

— Ну... Когда мы умеем делать что-то лучше, они у нас учатся, — популярно объяснил Адам.

— А мы что-то умеем делать лучше?

— Сколько угодно. Шампанское, например.

Инна приподнялась на локте, смотрела на Адама с наивным выражением.

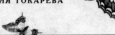

От слов «патентное бюро» веяло иными городами, степями, неграми, чемоданами в наклейках.

— А ваша жена — тоже в патентном бюро? — спросила Инна.

Это был генеральный вопрос. Ее совершенно не интересовало участие жены в общественной жизни. Ее интересовало — женат он или нет, а спросить об этом прямо было неудобно.

— Нет, — сказал Адам. — Она инженер.

«Значит, женат», — поняла Инна, но почему-то не ощутила опустошения.

— А дети у вас есть?

— Нет.

— А почему?

— У жены в студенчестве была операция аппендицита. Неудачная. Образовались спайки. Непроходимость, — доверчиво поделился Адам.

— Но ведь это у нее непроходимость.

— Не понял. — Адам обернулся.

— Я говорю: непроходимость у нее, а детей нет у вас, — растолковала Инна.

— Да. Но что же я могу поделать? — снова не понял Адам.

«Бросить ее, жениться на мне и завести троих детей, пока еще не выстарился окончательно», — подумала Инна. Но вслух ничего не сказала. Подняла с земли кофту и положила на голову, дабы не перегреться под солнцем. Адам продолжал смотреть на нее, ожидая ответа на свой вопрос, и вдруг увидел ее всю — большую, молодую и сильную, лежащую на ярком матрасе, и подумал о том же, что и она, и тут же смутился своих мыслей.

Обедали они уже вместе. То есть все было как раньше, каждый сидел на своем месте и ел из своей тарелки. Но раньше они были врозь, а теперь — вместе. Когда подали второе, Адам снял со своей тарелки круглый парниковый помидор и перенес его в тарелку Инны — так, будто она его дочь и ей положены лучшие куски. Инна не отказалась и не сказала «спасибо». Восприняла как должное. На этом кругленьком, почти ненастоящем помидорчике как бы определилась дальнейшая расстановка сил: он все отдает, она все принимает без благодарности. И неизвестно — кому лучше? Дающему или берущему? Отдавая, человек лишается чего-то конкретного, скажем, помидора. А черпает из чаши ДОБРА.

Инна тоже черпала, было дело. Отдала все, чем была богата, — молодость, надежды. И с чем она осталась?

После обеда поехали по местным торговым точкам. Инна знала — в загородных магазинах можно купить то, чего не достанешь в Москве. В Москве у каждого продавца своя клиентура и клиентов больше, чем товаров. А здесь, в ста километрах, клиентов может не хватить, и стоящие товары попадают на прилавок.

Инна вошла в дощатый магазин, сразу же направилась в отдел «Мужская одежда» и сразу же увидела то, что было нужно: финский светло-серый костюм из шерстяной рогожки. Инна сняла с кронштейна костюм, пятидесятый размер, третий рост, и протянула Адаму.

— Идите примерьте! — распорядилась она.

Адам не знал, нужен ему костюм или нет. Но Инна вела себя таким образом, будто она знала за него лучше, чем он сам.

Адам пошел в примерочную, задернул плюшевую занавеску. Стал переодеваться, испытывая все время внутреннее недоумение. Он не привык, чтобы о нем заботились, принимали участие. Жена никогда его не одевала и не одевалась сама. Она считала — не имеет значения, во что одет человек. Имеют значения нравственные ценности. Она была человеком завышенной нравственности.

Инна отвела шторку, оглядела Адама. Пиджак сидел как влитой, а брюки были велики.

Инна принесла костюм сорок восьмого размера, высвободила с вешалки брюки и протянула Адаму.

— Наденьте эти брюки, — велела она. — А эти снимите.

— Почему? — не понял Адам.

— Велики.

— Разве?

— А вы не видите? Сюда же можно засунуть еще один зад.

— Зато не жмут, — неуверенно возразил Адам.

— Самое главное в мужской фигуре — это зад!

Она действительно была убеждена, что мужчина во все времена должен гоняться с копьем за мамонтом и у него должны торчать ребра, а зад обязан быть тощий, как у кролика, в брюках иметь полудетский овальный рисунок.

У Адама в прежних портках зад выглядел как чемодан, и любая мечта споткнется о такое зрелище.

— Тесно, — пожаловался Адам, отодвигая шторку. — Я не смогу сесть.

Инна посмотрела и не поверила своим глазам. Перед ней стоял элегантный господин шведского типа — сильный мира сего, скрывающий свою власть над людьми.

— Останьтесь так, — распорядилась Инна. Она уже не смирилась бы с обратным возвращением в дедовские штаны и неприталенную рубаху, которая пузырилась под поясом.

Она взяла вешалку, повесила на нее брюки пятидесятого размера, пиджак сорок восьмого. Отнесла на кронштейн.

— Идите платить, — сказала она.

— Наверное, надо предупредить продавщицу, — предположил Адам.

— О чем?

— О том, что мы разрознили костюм. Что он не парный...

— И как вы думаете, что она вам ответит? — поинтересовалась Инна.

— Кто?

— Продавщица. Что она вам скажет?

— Не знаю.

— А я знаю. Она скажет, чтобы вы повесили все, как было.

— И что?

— Ничего. Останетесь без костюма.

Адам промолчал.

— У вас нестандартная фигура: плечи — пятьдесят, а бедра — сорок восемь. Мы так и купили. Я не понимаю, что вас не устраивает? Вы хотите иметь широкие штаны или узкий пиджак?

— Да, но придет следующий покупатель, со стандартной фигурой, и останется без костюма. Нельзя же думать только о себе.

— А чем вы хуже следующего покупателя? Почему у него должен быть костюм, а у вас нет?

Адам был поставлен в тупик такой постановкой вопроса. Честно сказать, в самой-самой глубине души он считал себя хуже следующего покупателя. Все люди казались ему лучше, чем он сам. И еще одно обстоятельство: Адам не умел быть счастлив за чей-то счет, в том числе за счет следующего покупателя.

— Ну, я не знаю... — растерянно сказал Адам.

— А я знаю. Вы любите создавать себе трудности, — определила Инна. — Вас хлебом не корми — дай пострадать.

Она взяла Адама за руку и подвела к кассе.

— Сто шестьдесят рублей, — сказала кассирша.

Адам достал деньги, отдал кассирше. Та пересчитала их и бросила в свой ящичек, разгороженный для разных купюр. И все это время у Адама было чувство, будто он идет через контрольный пост с фальшивыми документами.

Инна отошла к продавцу и протянула старую одежду Адама:

— Заверните.

Продавец ловко запаковал, перевязал шпагатиком и вручил сверток.

Вышли на улицу.

Возле магазина был небольшой базар. Старухи в черном продавали яблоки в корзинах и астры в ведрах.

Увидев Адама и Инну, они притихли, как бы наполнились уважением. Инна посмотрела на своего спутника — со стороны, глазами старух — и тоже наполнилась уважением. А уважение — самый необходимый компонент для пирога любви.

— Потрясающе... — обрадовалась Инна, услышав в себе этот необходимый компонент.

— Да? — Адам осветился радостью и тут же забыл свои недавние сомнения относительно следующего покупателя.

«А в самом деле, — подумал он, — почему не я?» Он давно хотел иметь хороший костюм, но все время почему-то откладывал на потом. Хотя почему «потом» лучше, чем «сейчас»? Наверняка хуже. «Потом» человек бывает старше и равнодушнее ко всему. В жизни надо все получать своевременно.

— Maintenant, — проговорил Адам.

— Что? — не поняла Инна.

— Maintenant по-французски — это сейчас.

Инна остановилась и внимательно посмотрела на Адама. Она тоже ничего не хотела ждать. Она хотела быть счастливой сегодня. Сейчас. Сию минуту.

Адам подошел к старухе и купил у нее цветы. Астры были с блохами, а с повядших стеблей капала вода.

Инна оглядела цветы, вернула их бабке, востребовала деньги обратно и купила на них яблоки у соседней старухи. Когда они отошли, Адам сказал, смущаясь замечания:

— По-моему, это неприлично.

— А продавать такие цветы прилично? — Инна посмотрела на него наивными зелеными глазами.

«И в самом деле», — усомнился Адам.

По вечерам в санатории показывали кино. Фильмы были преимущественно о любви и преимущественно плохие. Похоже, их создатели не догадывались, зачем мир расколот на два пола — мужчин и женщин. И не помнили наверняка,

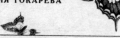

как люди размножаются — может быть, отводками и черенками, как деревья.

Однако все отдыхающие шли в просмотровый зал, садились и пережидали кино от начала до конца, как пережидают беседу с занудливым собеседником. С той разницей, что от собеседника уйти неудобно, а с фильма — можно.

Инна и Адам садились рядом и смотрели до конца, не потому что их интересовала вялая лента, а чтобы посидеть вместе. Инна все время ждала, что Адам проявит какие-то знаки заинтересованности и прикоснется локтем локтя или мизинца мизинцем. Но Адам сидел как истукан, глядел перед собой с обалделым видом и не смел коснуться даже мизинцем. Инна догадывалась, что все так и будет продолжаться и придется брать инициативу в свои руки. Такого в ее небогатой практике не встречалось. Адам был исключением из правила. Как правило, Инна находилась в состоянии активной обороны, потому что не хотела быть случайной ни в чьей жизни. Пусть даже самой достойной.

В понедельник киномеханик был выходной. Отдыхающие уселись перед телевизором, а Инна и Адам отправились пешком в соседнюю деревню. В клуб.

В клубе кино отменили. В этот день проходил показательный процесс выездного суда. Инна выяснила: истопник пионерского лагеря «Ромашка» убил истопника санатория «Березка». Оба истопника из этой деревни, поэтому именно здесь, в клубе, решено было провести показательный суд в целях педагогических и профилактических.

Деревня состояла из одной улицы, и вся улица собралась в клуб. Народу набралось довольно много, но свободные места просматривались. Инна и Адам забрались в уголочек, приобщились к зрелищу. Скорбному театру.

За длинным столом лицом к залу сидел судья, черноволосый, с низким лбом, плотный и идейно добротный. По бокам от него — народные заседатели, женщины со сложными немодными прическами и в кримпленовых костюмах.

На первом ряду, спиной к залу, среди двух милиционеров сидел подсудимый, истопник «Ромашки».

— А милиционеры зачем? — тихо спросила Инна.

— Мало ли... — неопределенно отозвался Адам.

— Что?

— Мало ли что ему в голову взбредет.

Инна внимательно посмотрела на «Ромашку» и поняла: ему ничего в голову не взбредет. «Ромашка» был мелок, худ, как подросток, невзрачен, с каким-то стертым лицом, на котором читались явные признаки вырождения. Чувствовалось, что его род пришел к окончательному биологическому упадку, и следовало бы запретить ему дальше размножаться в интересах охраны природы. Однако выяснилось, что у обвиняемого двое детей, которые его любят. А он любит их.

Судья попросил рассказать «Ромашку», как было дело. Как это все произошло.

«Ромашка» начал рассказывать о том, что утром он подошел к «шестерке» за бутылкой и встретил там «Березку».

— Какая шестерка? — не понял судья.

«Ромашка» объяснил, что «шестерка» — это сельмаг № 6, который стоит на их улице и сокращенно называется «шестерка».

Судья кивнул головой, показывая кивком, что он понял и удовлетворен ответом.

«Березка» подошел к «Ромашке» и положил ему на лицо ладонь с растопыренными пальцами. («Ромашка» показал, как это выглядело, положив свою ладонь на свое лицо.)

Он положил ладонь на лицо и толкнул «Ромашку» — так, что тот полетел в грязь.

По показаниям свидетелей, потерпевший «Березка» имел двухметровый почти рост и весил сто шестнадцать килограмм. Так что «Ромашка» был величиной с одну «Березкину» ногу. И наверняка от незначительного толчка летел далеко и долго.

— Дальше, — потребовал судья.

— Дальше я купил бутылку и пошел домой, — продолжал «Ромашка».

Он нервничал до озноба, однако, чувствуя внимание к себе зала, испытывал, как показалось Инне, что-то похожее на вдохновение. Он иногда криво и немножко высокомерно усмехался. И зал внимал.

— А потом днем я опять пришел к «шестерке». Сел на лавку.

— Зачем? — спросил судья.

— Что «зачем»? Сел или пришел?

— Зачем пришел? — уточнил судья.

— За бутылкой.

— Так вы же уже взяли утром, — напомнил судья. «Ромашка» посмотрел на судью, не понимая замечания.

— Ну да, взял... — согласился он.

— Куда же вы ее дели?

— Так выпил... — удивился «Ромашка».

— С утра? — в свою очередь, удивился судья.

— Ну да! — еще больше удивился «Ромашка», не понимая, чего тут можно не понять.

— Дальше, — попросил судья.

— Я, значит, сижу, а он подошел, сел рядом со мной и спихнул. Вот так. — «Ромашка» дернул бедром. — Я упал в грязь.

«Ромашка» замолчал обиженно, углубляясь в прошлое унижение.

— Ну а дальше?

— Я пошел домой. Взял нож. Высунулся в окно и позвал: «Коль...» Он пошел ко мне. Я встал за дверями. Он постучал. Я открыл и сунул в него нож. Он ухватился за живот и пошел обратно. И сел на лавку. А потом лег на лавку.

«Ромашка» замолчал.

— А потом? — спросил судья.

— А потом помер, — ответил «Ромашка», подняв брови.

Медицинская экспертиза показала, что нож попал в крупную артерию и потерпевший умер в течение десяти минут от внутреннего кровотечения.

— Вы хотели его убить или это получилось случайно? — спросил судья.

— Конечно, хотел. — «Ромашка» нервно дернул лицом.

— Может быть, вы хотели его только напугать? — мягко, но настойчиво спросила женщина-заседатель, как бы наводя «Ромашку» на нужный ответ.

Если бы «Ромашка» публично раскаялся и сказал, что не хотел убийства, что все получилось случайно, он судился бы по другой статье и получил другие сроки.

— Нет! — отрезал «Ромашка». — Я б его все равно убил!

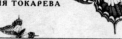

— Почему? — спросил судья.

— Он меня третировал.

Чувствовалось, что слово «третировал» «Ромашка» приготовил заранее.

Зал зашумел, заволновался, как рожь на ветру. Это был ропот подтверждения. Да, «Березка» третировал «Ромашку», и тот убил его потому, что не видел для себя иного выхода. Драться с ним он не мог — слишком слаб. Спорить тоже не мог — слишком глуп. Избегать — не получалось, деревня состояла из одной улицы. Он мог его только уничтожить.

— Садитесь, — сказал судья.

«Ромашка» сел, и над залом нависли его волнение, беспомощность и ненависть к умершему. Даже сейчас, за гробом.

Судья приступил к допросу «Березкиной» жены. Вернее, вдовы.

Поднялась молодая рослая женщина Тоня, с гладкой темноволосой головой и большими прекрасными глазами. Инна подумала, что, если ее одеть, она была бы уместна в любом обществе.

— Ваш муж был пьяница? — спросил судья.

— Пил, — ответила Тоня.

— А это правда, что в пьяном виде он выгонял вас босиком на снег?

— Было, — с неудовольствием ответила Тоня. — Ну и что?

То обстоятельство, что ее муж пил и дрался, не было достаточной причиной, чтобы его убили. А судья, как ей казалось, спрашивал таким образом, будто хотел скомпрометировать умершего. Дескать, невелика потеря.

— Обвиняемый ходил к вам в дом?

— Заходил иногда.

— Зачем?

Судья хотел исключить или, наоборот, обнаружить любовный треугольник. Поискать причину убийства в ревности.

— Не помню.

Она действительно не помнила, зачем один заходил к другому. Может быть, поговорить об общем деле, все-таки они были коллеги. Истопники. Но скорее всего — за деньгами на бутылку.

— Когда он к вам приходил, вы с ним разговаривали?

— Может, и разговаривала. А что?

Тоня не понимала, какое это имело отношение к делу: приходил или не приходил, разговаривала или не разговаривала?

Судья посмотрел на статную, почти прекрасную Тоню, на «Ромашку» — и не смог объединить их даже подозрением.

— Вы хотите подсудимому высшей меры? — спросил судья.

— Как суд решит, так пусть и будет, — ответила Тоня, и ее глаза впервые наполнились слезами.

Она не хотела мстить, но не могла и простить.

— Озорной был... — шепнула Инне сидящая рядом старуха. — Что с его ишшо...

Сочувствие старухи принадлежало «Ромашке», потому что «Ромашка» был слабый, почти ущербный. И потому, что «Березку» жалеть было поздно.

Инна внимательно поглядела на старуху и вдруг представила себе «Березку» — озорного и двухметрового, не знающего, куда девать свои двадцать девять лет и два метра. Ему было тесно на этой улице, с «шестеркой» в конце улицы и лавкой перед «шестеркой». На этой лавке разыгрывались все деревенские празднества и драмы. И умер на этой лавке.

— Садитесь, — разрешил судья.

Тоня села, плача, опустив голову.

Стали опрашивать свидетелей.

Вышла соседка подсудимого — баба в ситцевом халате, с прической двадцатилетней давности, которую Инна помнила у матери. Она встала вполоборота, чтобы было слышно и судье, и залу. Принялась рассказывать:

— Я, значит, побежала утречком, набрала грибов в целлофановый мешок. Отварила в соленой водичке, скинула на дуршлаг. Собралась пожарить с лучком. Говорю: «Вась, сбегай за бутылкой...»

— Опять бутылка! — возмутился судья. — Что вы все: бутылка да бутылка... Вы что, без бутылки жить не можете?

Свидетельница замолчала, уставилась на судью. Челюсть у нее слегка отвисла, а глазки стали круглые и удивленные, как у медведика. Она не понимала его неудовольствия, а судья не понимал, чего она не понимает.

Повисла пауза.

— Рассказывайте дальше, — махнул рукой судья.

— Ну вот. А потом он забежал на кухню, взял нож. А дальше я не видела. Потом захожу к нему в комнату, а он под кроватью сидит...

Судья развернул тряпку и достал нож, который лежал

тут же на столе как вещественное доказательство. Нож был громадный, с черной пластмассовой ручкой. Зал замер.

— Да... — Судья покачал головой. — С таким тесаком только на кабана ходить.

И преступление выпрямилось во весь рост.

«Ромашке» дали одиннадцать лет строгого режима. Он выслушал приговор с кривой усмешкой.

Судья испытывал к «Ромашке» брезгливое пренебрежение. А женщины-заседатели смотрели на него со сложным выражением. Они знали, что стоит за словами «строгий режим», и смотрели на него как бы через это знание. А «Ромашка» не знал, и ему предстоял путь, о котором он даже не догадывался.

Суд кончился.

«Ромашку» посадили в машину и увезли. Все разбрелись с отягощенными душами.

Инна и Адам пошли в санаторий.

Дорога лежала через поле.

Солнце скатилось к горизонту, было огромное, объемно-круглое, уставшее. Инна подумала, что днем солнце бывает цвета пламени, а вечером — цвета тлеющих углей. Значит, и солнце устает к концу дня, как человек к концу жизни.

Вдоль дороги покачивались цветы и травы: клевер, метелки, кашка, и каждая травинка была нужна. Например, коровам и пчелам. Для молока и меда. Все необходимо и связано в круговороте природы. И волки нужны — как санитары леса, и мыши нужны — корм для мелких хищников. А для чего нужны эти две молодые жизни — Коли и Васи? Один — уже в земле. Другой хоть и жив, но тоже погиб, и если нет «иной жизни», о чем тоскливо беспокоилась клоунесса, значит, они пропали безвозвратно и навсегда. А ведь зачем-то родились и жили. Могли бы давать тепло — ведь они истопники.

Кто всем этим распоряжается? И почему «он» или «оно» ТАК распорядилось?..

Вошли в лес. Стало сумеречно и прохладно.

Инна остановилась и посмотрела на Адама. В ее глазах стояла затравленность.

— Мне страшно, — сказала она. — Я боюсь...

Ему захотелось обнять ее, но он не смел. Инна сама шагнула к нему и уткнулась лицом в его лицо. От него изумительно ничем не пахло, как ничем не пахнет морозное утро или ствол дерева.

Инна положила руки ему на плечи и прижала к себе, будто объединяя его и себя в общую молекулу.

Что такое водород или кислород? Газ. Эфемерность. Ничто. А вместе — это уже молекула воды. Качественно новое соединение.

Инне хотелось перейти в качественно новое соединение, чтобы не было так неустойчиво в этом мире под уставшим солнцем.

Адам обнял ее руками, ставшими вдруг сильными. Они стояли среди деревьев, ошеломленные близостью и однородностью. Кровь билась в них гулко и одинаково. И вдруг совсем неожиданно и некстати в ее сознании всплыло лицо того, которого она любила. Он смотрел на нее, усмехаясь презрительно и самолюбиво, как бы говорил: «Эх ты...» «Так тебе и надо», — мысленно ответила ему Инна и закрыла глаза.

* * *

— Адам... — тихо позвала Инна.

Он не отозвался.

— Адам!

Он, не просыпаясь, застонал от нежности. Нежность стояла у самого горла.

— Я не могу заснуть. Я не умею спать вдвоем.

— А?

Адам открыл глаза. В комнате было уже светло. Тень от рамы крестом лежала на стене.

— Ты иди... Иди к себе, — попросила Инна.

Он не мог встать. Но не мог и ослушаться. Она сказала: иди. Значит, надо идти.

Адам поднялся, стал натягивать на себя новый костюм, который был ему неудобен. Инна наблюдала сквозь полуприкрытые ресницы. Из окна лился серый свет, Адам казался весь дымчато-серебристо-серый. У него были красивые руки и движения, и по тому, как он застегивал пуговицы на рубашке, просматривалось, что когда-то он был маленький и его любила мама. Инна улыбнулась и поплыла в сон. Сквозь сон слышала, как хлопнула одна дверь, потом другая. Ощутила свободу, которую любила так же, как жизнь, и, засыпая, улыбнулась свободе. Провела ладонью по плечу, с удивлением отмечая, что и ладонь и плечо — не прежние, а другие. Раньше она не замечала своего тела, оно имело как бы рабочее значение: ноги — ходить, руки — работать. Но оказывается, все это, вплоть до каждой реснички, может существовать как отдельные живые существа и необходимо не только тебе. Гораздо больше, чем тебе, это необходимо другому человеку. Инна заснула с уверенностью, что она всесильна и прекрасна. Ощутила себя нормально, ибо это и есть норма — слышать себя всесильной и прекрасной. А все остальное — отклонение от нормы.

Птицы молчали, значит, солнце еще не встало. Облака бежали быстро, были перистые и низкие.

Цвела сирень. Гроздья даже по виду были тугие и прохладные. Адам посмотрел на небо, его глаза наполнились слезами. Он заплакал по жене. Ему бесконечно жаль стало свою Светлану Алексеевну, с которой прожил двадцать лет и которая была порядочным человеком. Это очень ценно само по себе — иметь дело с порядочным человеком, но, как оказалось, в определенной ситуации это не имело ровно никакого значения. Он понимал, что должен уйти от нее, а значит, нанести ей реальное зло.

Адам пошел по аллее к своему корпусу. Деревья тянулись к небу, ели — сплошные, а березы — ажурные. Одна береза лежала поваленная, с выкорчеванными корнями. Корни переплелись, как головы звероящера. У одной головы болел зуб и корень-рука подпирал корень-щеку. «Инна», — подумал Адам.

Пробежал ежик. Он комочком перекатился через дорогу и нырнул в высокую траву. «Инна», — подумал Адам.

Все живое и неживое слилось у него в единственное понятие: Инна.

Облака бежали, бежали, бежали... Адам остановился, вбирая глазами небо и землю, испытывал гордый человеческий настрой души, какого он не испытывал никогда прежде. Он был как никогда счастлив и как никогда несчастен.

*** *

На завтрак Инна пришла позже обычного. Адам ждал ее за столом.

Она волновалась — как они встретятся, что скажут друг другу. Тот человек, которого она любила, умел сделать вид, что ничего не случилось. И так у него это ловко выходило, что Инна и сама, помнится, усомнилась. И засматривала в его безмятежное лицо.

Инна подходила к столу — прямая и независимая, на всякий случай, если понадобится независимость. Адам поднялся ей навстречу. Они стояли друг против друга и смотрели, молча — глаза в глаза, и это продолжалось долго, почти бесконечно. Со стороны было похоже, будто они глядят на спор: кто дольше?

Кто-то очень умный, кажется даже царь Соломон, сказал о любви: тайна сия велика есть. Тайна — это то, чего не знаешь. Когда-то вода тоже была тайной, а теперь вода — это две молекулы водорода и одна кислорода. Так и любовь. Сейчас это тайна. А когда-нибудь выяснится: валентность души одного человека точно совпадает с валентностью другого и две души образуют качественно новую духовную молекулу.

Адам и Инна стояли и не могли снять глаз друг с друга, и сердце стучало, потому что шла цепная реакция, объединяющая души в Любовь.

— Панкратов! К телефону! — крикнула уборщица тренированным горлом.

— Это меня, — сказал Адам.

— Кто? — испугалась Инна. Ей показалось, он сейчас уйдет и никогда не вернется, и душа снова останется неприкаянной, как детдомовское дитя.

— Не знаю.

— Панкратов! — снова гаркнула уборщица.

— Я сейчас, — пообещал он и пошел.

Инна села на стул и опустила глаза в тарелку.

— Можно, я у вас спрошу? — обратилась клоунесса. Она не начала сразу с вопроса, который хотела задать, а как бы деликатно постучалась в Инну.

Инна подняла глаза.

— Мне сегодня снилось, будто меня кусала кошка.

— Больно? — спросила Инна.

— Ужасно. Она сцепила зубы на моей руке, и я просто не знала, что мне делать. Я боялась, что она мне выкусит кусок.

— Надо было зажать ей нос, — предложил завязавший алкоголик.

— Зачем?

— Ей нечем стало бы дышать, и она разжала бы зубы.

— Я не догадалась. — Клоунесса подняла брови.

— Между прочим, я тоже ужасно боюсь кошек, — сказала жена алкоголика. — Вот я иду мимо них и никогда не знаю, что у них на уме.

Вернулся Адам. Он сел за стол и начал есть.

— Это очень хороший сон, — сказала Инна. Она сказала то, что клоунесса хотела от нее услышать.

Людям совершенно не обязательно заранее знать плохую правду. Плохая правда придет сама и о себе заявит. Людям надо подкармливать надежду.

Клоунесса радостно закивала, поверила, что кусающая кошка — вестник прекрасных перемен.

— Жена? — тихо спросила Инна.

Он кивнул.

— Ты уезжаешь?

Он кивнул.

— Навсегда?

— На полдня. Туда и обратно.

Адам поднял глаза на Инну, и она увидела в них, что цепная реакция его души уже совершилась и никакие звонки не в состоянии ее расщепить. Инна хотела улыбнуться, но сморщилась. Она устала.

— Жена уезжает в командировку. Некуда девать собаку. Она попросила, чтобы я ее забрал.

— А как ее зовут? — спросила Инна.

— Кого? Жену?

— Собаку.

— Радда... Она все время радовалась. Мы ее так назвали.

— Глупая, что ли?

— Почему глупая?

— А почему все время радовалась?

— Оттого что умная. Для радости найти причины гораздо сложнее, чем для печали. Люди любят себя, поэтому им все время чего-то для себя не хватает. И они страдают. А собаки любят хозяев и постоянно радуются своей любви.

— Я тебя провожу, — сказала Инна.

— Проводишь и встретишь.

* * *

Адам вернулся к вечеру и повел Инну в деревню Манино — ту самую, где шел суд.

Держать собаку в санатории категорически запретили. Адам договорился со старушкой из крайнего дома, и она за пустяковую цену сдала Радде пустую конуру. Радда без хозяина остаться не пожелала, она так взвыла, что пришлось Адаму поселиться у той же старушки. Он решил, что будет кормиться в санатории, а жить в деревне.

— А какой она породы? — спросила Инна.

— Шотландский сеттер.

Инна в породах не разбиралась и не представляла себе, как выглядит шотландский сеттер, однако оба этих слова ей понравились. За словом «шотландский» стояло нечто еще более иностранное, чем «английский». За этим словом брезжили молчаливые блондины в коротких клетчатых юбках.

Дорога шла через овраг. На дне оврага стучал по камешкам ручей. Через него лежали деревянные мостки с деревянными перилами. «Как в Шотландии», — подумала Инна, хотя овраг с ручейком и мостиком мог быть в любой части света. Кроме Африки. А может, и в Африке.

— А она красивая? — спросила Инна.

— Она очень красивая, — с убеждением сказал Адам. — Она тебе понравится. Она не может не понравиться.

Он открыл калитку, сбросив с нее веревочную петлю, и вошел во двор. Большая тяжелая собака, улыбаясь всей пастью и размахивая хвостом, устремилась навстречу. Она подняла к Инне морду с выражением: «Ну, что будем делать? Я согласна на все», и Инна увидела, что ее правый глаз затянут

плотным сплошным бельмом и напоминает крутое яйцо. Вокруг смеющейся пасти — седая щетина, а розовый живот болтается как тряпка...

— Она старая? — догадалась Инна.

— Ага, — беспечно сказал Адам. — Ей шестнадцать лет.

— А сколько живут собаки?

— Пятнадцать.

— Значит, ей сто десять лет? — спросила Инна. — Она у тебя долгожитель?

Адам тихо, счастливо улыбался, поскольку присутствовал при встрече самых родных и необходимых ему существ.

Из дома вышла старуха и высыпала в траву собачий ужин: остатки каши и размолоченный хлеб. Радда обнюхала и с недоумением поглядела на хозяина.

— Ешь, — приказал Адам. — Ты не дома.

Радда стала послушно есть, и такая покорность была почему-то неприятна Инне. Она поняла, что старая собака будет жрать все, абсолютно все, без исключения, если хозяин прикажет: ешь.

Радда покончила с ужином и угодливо обнюхала каждую травинку, проверяя, не осталось ли чего, и посмотрела на Адама, ожидая похвалы.

— Пошли погуляем, — предложил Адам.

Вышли на дорогу. Собака побежала впереди. Инна обратила внимание, что она не останавливается для малой нужды, как все собаки, а продолжает идти на чуть согнутых и чуть раскоряченных ногах, не прерывая своего занятия. Видимо, ей было жалко тратить на это время. Собака знакомилась со всем, что встречалось ей на дороге: обрывки газет,

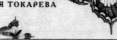

деревенские собаки, редкие прохожие. Подбегая к людям, она прежде всего обнюхивала конец живота, отчего люди конфузились, смущенно взглядывали на Адама и Инну, и у Инны было такое чувство, будто она участвует в чем-то малопристойном.

— Радда! Фу! — прикрикивал Адам низковатым скрипучим голосом. В раздражении его голос как бы терял соки и становился необаятельным. И можно было себе представить, каков он в раздражении.

— Пойдем на речку, — попросила Инна.

Адам открыл дверцы машины. Радда тут же привычным движением вскочила на переднее сиденье.

— А ну убирайся! — приказал Адам, но Радда и ухом не повела. Ей хотелось быть как можно ближе к хозяину, и она умела не слышать то, что ей не хотелось слышать.

— Ее надо вымыть, — заметила Инна тускло.

— Разве? — удивился Адам, отмечая тусклость ее голоса и теряясь.

— А ты не чувствуешь?

Дорога к реке и река были прежними, но Инна не могла пробиться к прежней радости. Ей что-то мешало, но что именно — она не могла определить.

Радде не мешало ничего. Выскочив из машины на берег, она пришла в неописуемый восторг. Она разогналась и влетела в воду, поплавала там по-собачьи, приподняв нос над водой, потом выскочила на берег, сильно стряхнулась, и брызги веером полетели на Инну, и в каждой капле отражались все семь цветов светового спектра.

— Убери ее, — тихо и определенно попросила Инна.

Убрать собаку, а самому остаться возле Инны было практически невозможно. Собаку можно было убрать только вместе с собой.

Адам разделся, взял собаку за ошейник и пошел вместе с ней в воду. Инна сидела на берегу, насупившись, и наблюдала, как он выдавил на ладонь полтюбика шампуня и стал мыть собаку. Инна подумала, что этими же руками он обнимет ее вечером, и насупилась еще больше. Освободившись от хозяина, собака выскочила на берег, опрокинулась на спину и стала кататься по земле, как бы назло: дескать, ты меня мыл, а я сейчас запачкаюсь.

— Фу! — сказал Адам, выходя.

Инна не поняла — почему «фу», посмотрела внимательнее и увидела, что собака катается по засохшим коровьим лепешкам.

— Убери ее! — снова потребовала Инна.

— Она что, тебе мешает? — заподозрил Адам.

Инна внимательно посмотрела на Адама и вдруг увидела, что они похожи со своей собакой: та же седая желтизна, то же выражение естественности на длинном лице. И то же упрямство. Чем бы их желания ни были продиктованы, пусть даже самыми благородными намерениями, но они всегда делали так, как хотели, — и Радда, и Адам. Эта собачья преданность была прежде всего преданностью себе.

— Да, — сказала Инна. — Мешает.

— Тогда как же мы будем жить?

— Где? — не поняла Инна.

— В Москве. У тебя. Я же не смогу ее бросить. Я должен буду взять ее с собой.

— Кого? — растерялась Инна.

— Собаку, кого же еще...

Это было официальное предложение. И все остальное теперь зависело только от нее. Значит, не зря она приехала в санаторий и так дорого заплатила за путевку и за подарок той тете, которая эту путевку доставала.

— Ты еще сам не переехал, — растерянно сказала Инна. — А уже собаку свою тащишь...

Решено было, что стены прихожей они обошьют деревом, а спальню обтянут ситцем, и тогда спальня будет походить на шкатулку. А гостиную они оклеят нормальными обоями, но изнаночной стороной. И гостиная будет белая. Она видела такую гостиную в доме у иностранцев. Книжных полок решили не покупать, а сделать стеллажи из настоящих кирпичей и настоящих досок. На кирпичи положить доски и укрепить, чтобы не рассыпались. Такое она видела в иностранном журнале. Было решено — никаких гарнитуров, никакого мещанства. Основной принцип — рукоделие, то есть дело рук, а значит, и творчества.

Еще было решено, что вить гнездо они начнут после того, как Адам разведется с женой и официально распишется с Инной. Можно было бы принять другой план: сначала съехаться и обивать спальню ситцем, а потом уже разводиться и расписываться. Но Инна боялась, что, если согласится на этот план, Адам начнет тянуть с разводом и в конце концов захочет сохранить обеих женщин, как это сделал тот человек, которого она любила. Потому что в каждой женщине есть то, чего нет в другой.

Срок пребывания в санатории подходил к концу. Они каждый день гуляли втроем: Адам, Инна и Радда, и каждый раз выбирали новые маршруты, чтобы разнообразить впечатления. Адам в угоду Инне орал на собаку, но собака не обижалась. Для нее было главное, чтобы хозяин находился рядом. Когда он уходил и оставлял собаку одну, в ней образовывалось чувство, похожее на голод, с той разницей, что голод она могла терпеть, а этот, душевный, голод — нет. Каждая секунда протягивалась в бесконечность, и в этой бесконечности сердце набухало болью и работало как бы вхолостую, без крови, и клапана перетирались друг о друга. И собаке казалось: если это состояние не кончится, она взбесится. И тогда она начинала рыдать в конуре. Выходила старуха и что-то говорила, но Радда не слышала ее сквозь отчаяние. Потом возвращался хозяин, и сердце сразу наполнялось горячей кровью и все успокаивалось внутри.

Адам любил свою собаку, но в присутствии Инны он стеснялся и даже боялся это обнаружить. Он испытывал к Инне то же самое, что Радда к нему. В отсутствие Инны он слышал в себе тот же самый душевный голод и так же трудно его переносил. Инна понимала это и догадывалась, что, если она скажет: «Адам!» — и бросит палку в кусты, он тут же помчится со всех ног, путаясь в ногах, и принесет ей эту палку в зубах. И, приподняв лицо, будет ждать, что ему дадут кусочек сахару или погладят по щеке.

Инна наслаждалась своей властью и временами была почти счастлива, но все же что-то ей мешало. Если бы понять — что именно. И однажды поняла.

Это было в полдень.

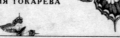

Они вышли в поле, похожее на степь, покрытое шелковым ковылем. Радде что-то показалось подозрительным, и она осторожно вошла в ковыль.

— Мышь, — предположил Адам. — Или крот.

Он крикнул какой-то охотничий термин. Радда вся напряглась и забеспокоилась.

— Челноком идет, — сказал Адам, будто Инна что-то в этом понимала.

Собака красиво стелилась по полю. Отсюда было не видно ее бельмастого глаза, высокая трава скрывала дряблый живот. Были видны только узкая породистая морда, темнокоричневая спина и вдохновенный ход гончей собаки.

Адам с любовью и родительской гордостью смотрел на Радду и приглашал глазами Инну разделить его любовь и гордость. И сам в это время был похож на студента, и очки поблескивали на солнце.

— Как молодая, — сказал Адам. И в этот момент Инна отчетливо поняла, что ей мешало. КАК. Собака шла КАК молодая, но она была старая. И то, что случилось у нее с Адамом, — КАК любовь. И даже с официальным предложением и ситцевыми стенами. Но это не любовь. Это желание любви, выдаваемое за любовь. И тот человек, которого она любила, всплыл перед глазами так явственно, будто стоял возле крайней березы. Их отношения последнее время были похожи на боксерский матч — кто кому сильнее врежет. С той разницей, что в боксе сохраняются правила игры, а они без правил, в запрещенные места. И сейчас, уехав в санаторий и присмотрев себе Адама, врезала она. Так, чтоб не встал. Но он встал и стоял возле крайней березы, усмехаясь, вытирая кровь с зубов.

А собака все шла над шелковым ковылем.

А Адам весь светился щурясь.

А Инна стояла — побежденная и глухая от навалившейся пустоты. И все это происходило средь бела дня под радостным полуденным солнцем. И где-то улепетывала от собаки несчастная мышь. Или крот.

Срок Инны заканчивался на неделю раньше, чем у Адама. Но Адам тоже решил прервать отпуск и вернуться в Москву. У него была тысяча дел: разводиться, расписываться, размениваться, разговаривать с начальством. Предстоящий развод несколько тормозил его продвижение по престижной лестнице. Но престижная лестница в его новой системе ценностей не стоила ничего. Полторы копейки. Престиж — это то, что думают о тебе другие люди. А какая разница, что подумают, сидя у себя дома, Кравцов или Селезнев.

Служебные удостоверения, ордена, погоны, бриллианты, деньги — это то, что человек снимает с себя на ночь и кладет на стол или вешает на стул — в том случае, если это китель. А все, что можно снять и положить отдельно от себя, не имело больше для Адама никакого значения. Имело значение только то, с чем он ложился спать: здоровье, спокойная совесть и душевное равновесие. И женщина. А точнее — Любовь. А еще точнее — это дети. Много детей: трое, четверо, пятеро — сколько Бог даст. Он будет водить их в зоопарк, показывать носорога и покупать мороженое. Он построит им дом на зеленой траве, чтобы на участке стояли сосны и росла земляника. Он будет в жаркую погоду ходить босиком по душным сосновым иголкам и спокойно, счастливо стареть. Старость —

это тоже большой кусок жизни, и в нем есть свои преимущества, тем более что молодость и зрелость у Адама счастливыми не были и он все время ждал перемен. В молодости они с женой очень долго снимали углы, потом комнаты. Адам привык считать себя временным жильцом, и это ощущение временности невольно ассоциировалось со Светланой.

В Воркуте (Адам ездил туда в командировку) он встречал многих людей, которые приехали за Полярный круг, чтобы заработать денег на лучшую жизнь, а потом вернуться на материк и начать эту лучшую жизнь. Они жили в полярной ночи, зевали от авитаминоза, жмурились от полярных ветров и были по-своему счастливы, однако считали эту жизнь черновым вариантом. Так проходили десять, двадцать и даже тридцать лет. А потом они возвращались на материк и скоро умирали, потому что менять климат после определенного возраста уже нельзя. Организм не может адаптироваться.

Адам решил для себя не ждать больше ни одного дня, уехать на свой материк, обтянуть спальню ситцем и зачать детей, пока не стар. Нет и пятидесяти. Говорят, в этом возрасте создаются самые удачные дети. Еще ни одного гения не произошло от молодого отца.

Поднимаясь по лестнице, Адам мечтал, чтобы Светланы не оказалось дома. Он не представлял себе, как скажет ей о том, что уходит. Это все равно что подойти к родному человеку и, глядя в глаза, сунуть под ребра нож, как истопник из деревни Манино. И при этом приговаривать: «Ну вот... все... уже не больно. Видишь? А ты боялась...»

Светлана оказалась дома, но у нее сидела подруга Райка. А при постороннем человеке говорить было неудобно. Да и невозможно. Адам ненавидел эту вымогательницу Райку, она вымогала из Светланы все, что ей удавалось, с искусством опытной попрошайки. Адам даже усвоил ее систему: сначала Райка начинала жаловаться на свою жизнь и приводила такие убедительные доводы, что ее становилось жаль. Потом начинала извиняться за предстоящую просьбу и извинялась так тщательно, что хотелось тут же все для нее сделать. Потом уже шла сама просьба, просьба ложилась на подготовленную почву, и эта дуреха Светлана готова была тут же стащить с себя последнюю рубаху, и если надо — вместе с кожей. Может, и кожа пригодится для пересадки.

— У тебя нет пятидесяти рублей? — шепотом спросила Светлана, оглядываясь на комнату.

— Сначала надо сказать «здравствуй», — посоветовал Адам и подумал при этом, что вот он бросит Светлану и эта Райка растащит ее по частям, унесет руки и ноги. Заставит сбрить волосы себе на парик и поселит в квартире своих родственников, а Светлану заставит жить в уборной, мыть руки в унитазе.

— Здравствуй. — Светлана осветилась лицом и прижала к себе морду Радды.

Радда постояла, заряжаясь от хозяйки теплом и любовью, а потом тихо пошла на свое место и легла на тюфяк. Она устала от дороги.

— Пятьдесят рублей, — напомнила Светлана.

— Есть, — сказал Адам. — Но я не дам.

— Тише... — Светлана сделала испуганные глаза.

Адам вошел в комнату. Райка сидела среди подушек. Светлана купила в универмаге штук десять подушек и пошила на них синие вельветовые чехлы. На вельвет липли собачьи волосы, которые не брал пылесос, и надо было снимать каждую волосинку отдельно. Каждый раз, когда Светлана пыталась навести уют, это оборачивалось своей противоположностью.

— Вадим, ты прекрасно выглядишь! — искренне восхитилась Райка, вскинув на него крупные наглые глаза.

— Ты тоже, — сказал Вадим, чтобы быть вежливым.

Райка сидела в платье с низким декольте. Она всегда носила низкие декольте, видимо, ей сказали, что у нее красивые шея и грудь. Может быть, когда-то это было действительно красиво, но сейчас Райке шел сорок девятый год, и эти сорок девять лет были заметны всем, кроме нее самой. На вопрос: «Сколько тебе лет?» — она отвечала: «Уже тридцать семь», — и при этом надевала выражение, которое она усвоила в детском саду, — выражение счастливого, незамутненного детства. И такой же голос — под девочку, едва начавшую говорить. И Вадиму всегда хотелось ее спросить: «Девочка, ты не хочешь пи-пи?»

— У него нет денег, — виновато сказала Светлана.

— Есть, — возразил Адам. — Но они мне нужны.

— Я сейчас у соседей попрошу, — смутилась Светлана и пошла из комнаты. Она шла, странно ступая, будто ее ноги были закованы в колодки.

— Что у тебя с ногами? — спросил Адам.

— Она мои туфли разнашивает, — ответила Райка. — Я купила, а они мне малы.

— Так ей они тем более малы. У нее же нога больше.

— Потому она и разнашивает.

Адам решил не продолжать разговор. Они с Райкой существовали каждый на своей колокольне и не понимали друг друга. Адам думал о Светлане, а Райка — о туфлях.

— Как у тебя настроение? — участливо спросила Райка.

Адам глянул на нее, и ему показалось, что, если он пожалуется на настроение, Райка тут же предложит его исправить. По отношению к Светлане она была не только вымогательница, но и предательница. Светлана совершенно не разбиралась в людях, вернее, изо всех людей она предпочитала тех, с кем бы можно было делиться собой и они бы в этом нуждались. Но дружба — процесс двусторонний. Светлана мирилась с односторонностью и, сталкиваясь со злом, только удивлялась и недоумевала. Как Радда. У них были одинаковые характеры.

— У меня все в порядке, — сказал Адам, глядя на свои руки, чтобы не смотреть на Райку. — А ты как?

— Я? Банкрот.

— То есть?

— Ждала у моря погоды и осталась у разбитого корыта.

— Почему?

— Потому что я всегда искала звезд. А их нет.

То есть «звезды» при ближайшем рассмотрении оказались обычными пьющими мужиками, но с фанабериями и дурным характером.

— Тебе сейчас сколько лет? — спросил Вадим.

— Тридцать семь уже. — Райка всхлопнула ресницами, и уголки ее губ летуче вспорхнули вверх.

Вошла Светлана и тут же села, не в силах стоять на ногах. Ее ступни вспухли и наплывали на туфли подушками. От всего ее облика исходило изнурение.

— Голодает, — сказала Райка. — Идиотка.

— Ты голодаешь? — спросил Адам.

Светлана начиталась переводной литературы о пользе голодания и время от времени приносила своему организму реальную пользу.

— Сегодня на соках, — ответила Светлана.

— Она уже четыре дня на соках, — уточнила Райка. — Потом четыре дня будет пить зеленый чай с медом. Потом четыре дня есть протертую пищу. А потом ты отвезешь ее в крематорий.

— Вот деньги. — Светлана протянула деньги одной бумажкой.

— Я через неделю отдам, — пообещала Райка.

— Не думай об этом. В крайнем случае — я отдам, а ты мне, когда сможешь.

Адам поднялся и пошел на кухню. Светлана вышла следом.

— Сними туфли! — приказал он.

— Почему?

— Потому что тебе больно! Потому что у тебя будет гангрена!

— Это неудобно. Она уйдет, тогда я сниму.

— Я сейчас сам сниму и дам ей туфлей по морде.

— Но что же делать? Они ей малы...

— Пусть отнесет в растяжку в обувную мастерскую.

— Да. Но там наливают воду, и обувь портится.

Светлана тоже стояла на Райкиной колокольне и думала не о своих ногах, а о ее туфлях. Адам смотрел на жену. Она исхудала, и ее глаза светились одухотворенным фанатическим блеском. Лицо она намазала кремом, смешанным с облепиховым маслом, от этого оно было желтым, как у больной.

Адам сел перед ней на корточки и с трудом стащил туфли, они были малы размера на три.

— Прекрати голодать, — попросил Адам.

— Жаль прерывать. Столько мучилась. Только четыре дня осталось.

«Через четыре дня и скажу, — подумал Адам. — А то она просто не выдержит». Решив это, он успокоился, и даже Райка перестала казаться такой зловещей фигурой. Просто несчастная баба со своими приспособлениями.

Адам вернулся в комнату и сказал Райке:

— В каждом проигрыше есть доля выигрыша. И наоборот.

— Ты о чем? — не поняла Райка.

— О разбитом корыте. Может быть, оно было гнилое, это корыто. Тридцать семь лет — еще не вечер.

Райка усмехнулась.

Адам сел на диван в вельветовые подушки. Райка и Светлана стали чирикать какие-то светские сплетни, хотя им правильнее было бы чирикать о внуках. Сплетни Адама не интересовали. Он прикрыл глаза и, как в воду, ухнул в воспоминания.

...Они вернулись после суда. Инна сказала: не уходи... и стала его целовать, целовать, целовать, будто сошла с ума, — каждый палец, каждый ноготь, каждый сустав, и он не мог ее остановить, и ему казалось, что он попал под бешеную летнюю грозу, когда земля смешивается с небом...

Адам сидел, прикрыв глаза. Сердце его сильно стучало, а под ребрами, как брошенная собака, выла тоска.

— Я пойду погуляю с Раддой.

Он взял собаку и пошел звонить в телефон-автомат. Радда неуклюже полезла в телефонную будку, но Адам ее не пустил, отпихнул ногой и плотно прикрыл дверь. Он хотел быть наедине с Инной.

Заныли гудки. Потом он услышал ее голос.

— Это я, — сказал Адам, волнуясь. — Ну, как ты?

— Противно в городе, — сказала Инна.

— В городе очень противно. Я к тебе сейчас приеду. Но я не один.

— А с кем? — удивилась Инна.

— С собакой.

— Не надо.

— Почему?

— Она линяет.

Подошел человек и сильно постучал монетой по стеклу.

— Я тебе перезвоню, — пообещал Адам. Он не мог говорить с Инной, когда ему мешали. Не мог раздваиваться, должен был принадлежать только ей.

Адам вышел из телефонной будки. Радды не было. «Придет, — подумал он, — куда денется...»

Он стоял и ждал, пока поговорит тот, с монетой. Потом подошла женщина. Он переждал и ее, невольно прислушиваясь к разговору. Женщина кричала, что ее муж совершенно не выходит на улицу, гуляет на балконе пятнадцать минут в день. А если выходит из дома — только за водкой, а прогулка сама по себе для него невыносима и вообще невыносимо состояние здоровья. Здоровье он воспринимает как болезнь.

Радда не появлялась. Адам забеспокоился и пошел домой. Дома ее тоже не было. Он снова спустился вниз и пошел к автомату, надеясь, что Радда стоит там и ждет. Но возле автомата ее не было.

Адам пошел дворами, приглядываясь к собакам-одиночкам и собачьим компаниям. Вышел на площадь. Их дом стоял неподалеку от вокзала. Адам подумал вдруг, что ее могли украсть приезжие и увезти на поезде. С тем чтобы охотиться. Шотландские сеттеры — это лучшие охотничьи собаки и на птичьем рынке стоят сто рублей. Он пересек площадь и пошел к пригородным электричкам. Ходил вдоль поездов, толкаясь в толпе, и громко звал: «Радда! Радда!» — и все на него оборачивались.

Потом он снова пересек площадь, вернулся к автомату и стоял не меньше двух часов. Несколько раз он порывался уйти и уже уходил, но снова возвращался и стоял как столб. Часы на вокзале показывали уже одиннадцать вечера.

Адам вошел в будку, набрал номер Инны и сказал:

— У меня пропала собака.

— Тогда приезжай, — сказала Инна.

— Не могу.

— Почему?

— У меня пропала собака.

Они замолчали, и это молчание было исполнено взаимного непонимания. Адам подумал вдруг, что его колокольня, наверное, самая неудобная и прошита сквозняками, потому что никто не хочет лезть на нее вместе с ним.

* * *

Вадим проснулся среди ночи, будто кто-то тронул его за плечо. Он выбыл из сна и явственно понял: собаку украли. Кто-то поманил ее, она пошла, потому что еще ни разу за все свои шестнадцать лет не встречалась со злом и даже не представляла, что оно есть на свете. Вадим купил ее недельным щенком, они со Светланой любили ее как дочку. Радда питалась их добротой, любовью и не представляла, что есть другая пища. Они никогда не бросали Радду, никому не доверяли, и если кто-то один уезжал в отпуск или в командировку, то другой оставался с собакой. А сейчас она на несколько минут осталась на улице одна, и ее украли. Ее позвали, она пошла. Вадим представил себе, что будет, когда вор увидит, что она старая и почти слепая. Что он сделает с ней? Выгонит? Или убьет? Хорошо, если убьет. А если выгонит? Вадим представил себе свою собаку — слепую и больную, с хроническим заболеванием почек. Он делал ей уколы антибиотиков, и она сама подходила к нему и подставляла ногу под иглу. Вадим представил себе растерянность и недоумение Радды, если ее будут бить. Именно недоумение, потому что она не знала, что это такое.

Вадим резко сел на постели. Он увидел, что Светлана тоже сидит.

— Как это могло случиться? — Она протянула к нему руки, плача, будто желая получить ответ прямо в ладошки. — Как?

«Я вас предал — вот как, — подумал Вадим. — И ее. И тебя».

— Может быть, завтра вернется, — сказал он. — Просто заблудилась.

***

Ребенок орал, надрывался, а семнадцатилетняя Пескарева преспокойно отправилась в туалет.

— О! Мамаша называется, — осудила Инна. — Ребенок орет, а ей хоть бы что...

— Не привыкла еще, — сказала Ираида. — Сама еще ребенок. Ей в куклы играть.

На посту зазвонил телефон. Ираида сняла трубку, послушала и сказала:

— Тебя.

Инна взяла трубку и побледнела. Кровь отлила от головы, сердце забарахталось, не справляясь. Это был тот человек, которого она любила.

— Когда и где? — спросила Инна. Все остальные вопросы были лишними, тем более что ее ждали грудные дети, которые имели право не ждать.

— Семь, — сказал он. — Телевизионная башня.

«Почему телевизионная башня?» — подумала Инна, отходя к орущему ребенку. А потом вспомнила, что он живет возле ВДНХ и, значит, до телевизионной башни ему удобно добираться. А то, что ей пилить через всю Москву, так это ни при чем. К тому же он передвигается на собственной машине, а она на общественном транспорте.

Инна взяла ребенка на руки. Он был запеленат под грудку, а ручки свободны, и он поджал их, как зайчик. У него была послеродовая желтушка и черные волосики, и он походил на япончика. Подошла семнадцатилетняя Пескарева, взяла своего япончика, достала полудетскую грудь. Ребенок забеспокоился, дернул личиком вправо — промахнулся мимо соска, потом влево — опять промахнулся и в третий раз попал точно, вцепился. Инна подумала: недолет, перелет, цель. Так же обстреливают с воздуха, и этот военный маневр называется «вилка».

Япончик мощно тянул материнское молоко, постанывая от жадности. Инне вдруг стало пронзительно жаль этого ребеночка и его маленькую маму. Стало жаль всех на свете, и себя среди всех. Она поняла, что из встречи ничего путного не получится. Нечего и ходить.

— Ну, — спросил он с насмешкой. — Отдохнула?

— Отдохнула, — осторожно ответила Инна, пытаясь определить дальнейший ход беседы.

Пока она ехала к нему на трех видах транспорта, все думала, что он ей скажет, и проговаривала про себя варианты. Первый — он скажет: «Я так устал бороться с собой и с тобой. Вся душа испеклась и скукожилась, как обгорелая спичка. Давай больше не будем расставаться ни на секунду. Положим души в любовь. Пусть отмокнут».

Второй: «Привык я к тебе, как собака к палке. Давай поженимся, черт с тобой». Она спросит: «А твои причины?» Он скажет: «Нет причины главнее, чем любовь».

Третий, самый неблагополучный вариант — он скажет: «Инна, подожди еще четыре месяца». Тогда она с достоинством подожмет губы и ответит: «Но не больше ни на минуту». И они отсчитают ровно четыре месяца от сегодняшнего дня, назначат день, час и место. Назначат, когда и где им предстоит встретиться, чтобы больше не расставаться.

— Ну и что? — спросил он. — Нашла себе?

Инна внимательно смотрела в его лицо, пытаясь разгадать по его глазам хотя бы один из вариантов, но беседа шла по какому-то иному логическому ходу. Ни одного из вариантов не предусматривалось. Видимо, его причины были все-таки главнее, чем любовь. И это по-прежнему были его причины, а не ее. Инне захотелось сказать: «Нашла». Тогда он бы спросил: «А зачем же ты пришла?»

Она: «А зачем ты звал?»

Он: «Посмотреть».

Она: «Посмотрел?»

Он: «Посмотрел».

Она: «Ну, пока».

Он: «Пока».

И она уйдет. И чужие старые собаки, размахивая пузом, будут скакать вокруг ее жизни.

— А я и не искала, — ответила Инна.

— А почему так долго думала? — не поверил он.

— Вспоминала.

— Врешь?

— А зачем мне искать? Ты есть у меня.

Дальше он должен был сказать: «Я так устал от разлуки» и т.д. Но он самодовольно сморгнул, как человек, который боялся, что его обворовали, но вот он зажег свет и убедился, что все на месте. Он успокоился, самодовольно сморгнул и предложил:

— Давай посмотрим «Пустыню».

Фильм только что вышел, и там были заняты замечательные артисты. Он включил зажигание и, глядя через плечо, попятил машину. Инна поняла: программа была прежней. Сейчас они пойдут в кино, потом поедут к ней, а потом он пойдет домой. Все как раньше. С той разницей, что раньше она ждала, а сейчас вопрос ожидания был снят с повестки. Новая схема была такая: устраивает — пожалуйста, не устраивает — пожалуйста. Можно было не предполагать и не догадываться, а просто спросить об этом. Но тогда на прямой вопрос она получит прямой ответ, и после этого оставаться в машине будет невозможно. Надо будет уйти. А она так давно его не видела.

Подъехали к кинотеатру.

— Поди посмотри, что там, — велел он.

Инна вышла из машины и стала подниматься по широкой лестнице к кассам. Захотелось вернуться и спросить: а почему я? Кто из нас двоих мужчина? Вспомнила, как они с Адамом выходили из магазина. Он открыл перед ней дверь. За дверью стоял нетрезвый плюгавый мужичонка, и Адам чуть не снес этого мужичонку с поверхности земли.

— Осторожно... — сказала Инна.

— Пусть он сам осторожно, — возразил Адам. — Идет королева.

А тут королева пилит через всю Москву на трех видах транспорта, теперь бежит к кассам, потом повезет его к себе домой, будет утешать, шептать на ухо, сколько он достоинств в себе совмещает. И это вместо того, чтобы держать возле груди своего собственного япончика...

Сеанс был неподходящий, и фильм шел плохой, хоть и итальянский.

— Вы не скажете, где идет «Пустыня»? — спросила Инна у кассирши.

— Позвоните ноль пять, — предложила кассирша.

Инна нарыла в кармане монету, подошла к автомату и набрала 05. Разумный женский голос тут же отозвался:

— Тринадцатый слушает.

— Скажите, пожалуйста, где идет фильм «Пустыня»? — спросила Инна, дивясь, что женщина под номером «тринадцать» спрашивает и слушает так внимательно и индивидуально, будто находится не на работе, а дома.

— Позвоните, пожалуйста, через десять минут, — интеллигентно попросила женщина, будто действительно была не на работе, а дома, и варила кофе, и боялась, что он убежит.

— Я не могу через десять минут! — крикнула Инна.

Но трубку уже положили.

Инна снова вернулась к кассирше.

— Скажите, пожалуйста, а у вас есть... — Она зашевелила пальцами. — Ну как это... киношное меню?

— Что? — не поняла кассирша.

— Ну... такой листок, где написано, где что идет.

— Обойдите кинотеатр с другой стороны. Там должно быть.

Инна вышла и стала спускаться по лестнице, чтобы обойти кинотеатр. Следом за ней шли два здоровенных парня или молодых мужика.

— Я за три дня побывал в Ереване, Тбилиси и Баку, — сказал один другому.

— Значит, ты не был нигде, — ответил другой. — Ни в Ереване, ни в Тбилиси, ни в Баку. Правда, девушка?

— Он был в самолете, — сказала Инна и оглянулась на машину. Ей хотелось, чтобы Он увидел ее и увидел, что она нравится и годится на большее, чем на то, чтобы ею забивали недостающие участки в жизни. Как чучело паклей. Но Он не увидел. Он смотрел перед собой. Его лицо было мрачным и сосредоточенным, и Он походил на собственную жертву.

Инна обошла кинотеатр, но афиши не увидела. Она решила, что была невнимательна, и пошла во второй раз, ощупывая глазами стены. И вдруг она поймала себя на том, что кружит, как лошадь в шахте. Мать рассказывала, что в прежние времена в шахтах работали лошади и двигались по кругу десять и двадцать лет. Потом они слепли, но не знали об этом, потому что в шахте все равно темно. А потом их поднимали на землю, но они уже не могли видеть ни неба, ни травы. И, очутившись на земле, начинали ходить по кругу, хотя это было уже не надо. Но иначе они не умели.

Инна сошла с круга, пересекла дорогу и направилась к автобусной остановке. Подошел автобус. Она вошла в него и села на сиденье, которое было выше остальных. Автобус тронулся. Инну стало сильно трясти, и она догадалась, что сиденье располагается на колесе. Она пересела поближе к водителю, но тогда по ногам пахнуло жаром, видимо, в этом месте была отопительная система.

Инна встала и поехала стоя в полупустом автобусе, держась за ручку. Думала о том человеке, которого она любила. Он, наверное, решит, что Инна стоит в длинной очереди за билетом. Потом ему надоест ждать, Он выйдет из машины и поднимется по лестнице к кассам. Там он спросит у кассирши: «Вы здесь не видели... такую высокую блондинку?» Потом он обойдет вокруг кинотеатра, вернется в машину, подождет еще немного и поедет домой. А во втором случае, то есть в том случае, если бы Инна не ушла, они вдвоем бы пошли в кино, потом он проторчал бы у Инны, а потом поехал домой. Во всех случаях он возвращался домой, как самолет на аэродром. Полетает и приземлится. Но у самолета — расписание и график, а у этого — свободный полет. У него никто не спрашивает отчета. Он пользуется полной свободой внутри жестоких обязательств. Как орел в зоопарке. Инна вспомнила его мрачное лицо, подумала, что никакой он не орел и не самолет. Несчастный человек. И его причины — действительно очень уважительные причины, и он горит с четырех сторон, как подожженная газета. И он любит ее, Инну, как сейчас говорят: по-своему. Наверное, ту лошадь в шахте тоже любили по-своему, и по-своему сочувствовали, и давали ей с ладони сахар и пряники.

Инна доехала до станции метро, сошла с автобуса и разыскала телефонную будку. Набрала номер Адама. Номер состоял только из четных чисел, легко запоминался, был прост и ясен, как Адам. Запели гудки. У Инны было сейчас состояние, как тогда, в лесу, после суда. Хотелось сказать: «Мне страшно. Спрячь меня. Спаси. Черт с ней, с твоей собакой. Не вечная же она, в конце концов».

В этот день с утра Вадим Панкратов отправился на работу в патентное бюро, но ни на чем не мог сосредоточиться. Он полулежал на стуле в своем кабинете, вытянув ноги, и думал о том, что «депрессия» происходит от слова «пресс». Тяжелый пресс давит на нервы, и они отказываются реагировать на любые раздражители: приятные — вроде встречи с сотрудниками. И неприятные — вроде голода. Вадим не мог ни есть, ни радоваться.

— Что с вами? — заметил Нисневич.

Нисневич — начальник и порядочный человек. Он был разным — таким и другим, но всегда порядочным.

— У вас такой вид, будто случилось несчастье.

— Вы угадали, — сказал Вадим. — У меня несчастье. Пропала собака.

— А... Это я понимаю, — серьезно посочувствовал Нисневич. — У меня у самого в прошлом году кот с балкона упал. Так верите, стыдно сказать, я смерть тещи меньше переживал. Правда, мы жили в разных городах... — как бы извинился Нисневич.

Вадим посидел на работе еще час и отправился домой и, пока шел, вдруг уверовал, что в его отсутствие Радда вернулась домой. Нюх у нее, конечно, ослаб с годами, но все же это — собачий нюх, и Радда уже дома, и Светлана уже вымыла ее в ванной и накормила супом с пельменями и кусочками докторской колбасы. Он придет домой, и они обе его встретят. Вадим представил себе их глаза, когда они его встретят: серые Светланы и рыжие Радды. И ускорил шаги.

Возле своей двери он стоял какое-то время — очень сильно стучало сердце. Потом решился и позвонил. Дверь отворилась в ту же секунду, будто Светлана стояла за дверью. Взметнулись и замерли ее глаза. Вадим увидел в них, что Светлана ждала их вдвоем: его и Радду. Она почти уверовала, что Вадим разыщет собаку и они вернутся вместе. Но Вадим стоял один. И Светлана — одна. Взметнулись и замерли ее глаза. Это взметнулась и замерла надежда. Надежда повисела в воздухе какое-то мгновение, как всякий подброшенный предмет, и рухнула.

Светлана ничего не сказала, повернулась и пошла на кухню.

Вадим тоже ничего не сказал, прошел в комнату и лег на
диван лицом к стене. Депрессия диктовала организму именно эту позу. Он закрыл глаза, чтобы проникало как можно
меньше раздражителей, и тут уже увидел взгляд Светланы и
понял, что такими одинаковыми взглядами он мог обменять-
ся только со своей женой и больше ни с одним человеком на
всем свете. Они существовали с ней на одной колокольне, и
как бы там ни бывало скучно, а иногда и безнадежно, все-
таки это была одна колокольня. Вадим подумал, что если бы
он ушел от Светланы, то, наверное, через какое-то время вернулся обратно, потому что нельзя надолго уйти от совести.
Светлана была не только его человек, она еще сама по себе
была порядочным человеком. Бывают, конечно, моменты,
когда порядочность не имеет никакого значения. Но это моменты. А в конечном счете в черные дни, да и в серые, и даже
в розовые порядочность — это единственное, что имеет значение. Потому что порядочность — это совесть. А совесть —
это Бог. А Вадим — человек верующий.

Вошла Светлана, и в ту же секунду зазвонил телефон. Звонок был частый, требовательный, похожий на междугород-
ный. Вадим почувствовал, что это Инна.

— Скажи, что меня нет дома, — попросил Вадим.

Светлана сняла трубку и обернулась к Вадиму:

— Тебя...

— Я же просил.

— Ну, я не могу...

Светлана не умела врать физически. Для нее соврать —
все равно что произнести фразу на каком-нибудь полине-

зийском языке, которого она не только не знала, но никогда не слышала.

Вадим встал и взял трубку.

— Адам... — позвала Инна.

Он молчал. Не из-за Светланы. Из-за Радды. Инна не любила собаку, и она устранилась. Развязала ему руки. И сейчас общаться с Инной как ни в чем не бывало — значит предать не только Радду, но и память о ней.

— Адам...

— Здесь таких нет. Вы не туда попали.

Он положил трубку.

— Какого-то Адама...

Вадим снова лег на диван и закрыл глаза. И увидел: бежали, бежали, бежали низкие облака. Вдоль дороги лежал печальный зверояшер, и корень-рука подпирала корень-щеку.

Инна вышла из телефонной будки и направилась через дорогу. На середине дороги зажегся зеленый свет, и машины двинулись сплошной лавиной.

Инна стояла среди прочих пешеходов и пережидала движение. Вдруг увидела того человека, которого она любила. Его машина шла в среднем ряду. Инна подумала: он ждал меньше часа. Однако минут сорок все же ждал. Она увидела, что он ее тоже увидел. Улыбнулась доброжелательно и равнодушно, как хорошему знакомому, и мелко встряхнула головой, дескать: вижу, вижу... очень приятно. Он все понял. Он был умница — за это она и любила его так долго. Он понял, и тоже улыбнулся, и поехал дальше. И его машина затерялась среди остальных машин.

Инна вдруг почувствовала замечательное спокойствие. Она поняла, что Адам и тот человек, которого она любила, были каким-то странным образом связаны между собой, как сообщающиеся сосуды. И присутствие в ее жизни одного требовало присутствия другого. Когда один ее унижал, то другой возвышал. Когда один ее уничтожал, то другой спасал. А сейчас, когда один проехал мимо ее жизни, исчезла необходимость спасаться и самоутверждаться. Значит, исчезла необходимость и в Адаме. Адам мог сочетаться только в паре, а самостоятельного значения он не имел. Не потому, что был плох. Он, безусловно, представлял какую-то человеческую ценность. Просто они с Инной — из разных стай, как, например, птица и ящерица. Не важно — кто птица, а кто — ящерица. Важно, что одна летает, а другая ползает. Одной интересно в небе, а другой — поближе к камням.

Зажегся красный свет, и пешеходы двинулись через дорогу. Навстречу Инне шли люди разных возрастов и обличий, и среди всех бросалась в глаза яркая загорелая блондинка, похожая на финку с этикетки плавленого сыра «Виола». Инна невольно обратила на нее внимание, потому что «Виола» бросалась в глаза и очень сильно напоминала кого-то очень знакомого.

«На кого она похожа? — подумала Инна. — На меня». «Виола» шла прямо на Инну, не сводя с нее глаз до тех пор, пока Инна не сообразила, что это она сама отражается в зеркальной витрине магазина. Она шла себе навстречу и смотрела на себя как бы со стороны: вот идет женщина неполных тридцати двух лет. Выглядит на свое. Не моложе. Но и не старше ни на минуту. Это не много — тридцать два года.

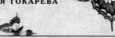

И не мало. С какой стороны смотреть: на пенсию — рано. Вступать в комсомол — поздно. А жить и надеяться — в самый раз. И до тех пор, пока катится твой поезд, будет мелькать последний вагон надежды.

Содержание

Литературно-художественное издание

Токарева Виктория
О любви и о нас с вами

Ответственный редактор О.М. Тучина
Компьютерная верстка: О.С. Попова
Технический редактор О.В. Панкрашина

Общероссийский классификатор продукции
ОК-005-93, том 2; 953000 — книги, брошюры

Санитарно-эпидемиологическое заключение
№ 77.99.60.953.Д.009937.09.08 от 15.09.08 г.

ООО «Издательство АСТ»
141100, Россия, Московская обл., г. Щелково, ул. Заречная, д. 96
Наши электронные адреса: WWW.AST.RU E-mail: astpub@aha.ru

Широкий ассортимент электронных и аудиокниг
ИГ АСТ Вы можете найти на сайте www.elkniga.ru

ООО Издательство «АСТ МОСКВА»
129085, г. Москва, Звездный б-р, д. 21, стр. 1

Отпечатано с готовых файлов заказчика в ОАО «ИПК
«Ульяновский Дом печати». 432980, г. Ульяновск, ул. Гончарова, 14